Z comme Zinkoff

Jerry Spinelli

Z comme Zinkoff

Traduit de l'anglais par Jérôme Lambert

Neuf
l'école des loisirs
11, rue de Sèvres, Paris 6e

Du même auteur à *l'école des loisirs*

Collection MÉDIUM

L'étrangleur

Titre de l'édition originale : « Loser »
(HarperCollins Children's Books, New York)
Loi n° 49.956 du 16 juillet 1949 sur les publications
destinées à la jeunesse : mars 2007
Dépôt légal : mars 2007
Imprimé en France par la société Nouvelle Firmin-Didot
au Mesnil sur l'Estrée (83687)

ISBN 978-2-211-06949-6

1
Grandir

On grandit tout près d'un gamin et on ne sait même pas qu'il existe. Il est là, dans la rue, sur l'aire de jeu, dans le voisinage. Il fait un peu partie du décor, comme les voitures garées et les poubelles vertes en plastique qu'on sort sur le trottoir.

À l'école, on passe de classe en classe : CP, CE1 – lui, il est toujours là, juste à côté. On n'est ni amis ni ennemis. Nos chemins se croisent seulement de temps en temps. Au square, un jour, on lève la tête et on le voit perché de l'autre côté de la balançoire. Ou bien, un jour d'hiver alors qu'on s'amuse en luge sur la grande pente de Halftank Hill, alors qu'on remonte péniblement vers le sommet, on tourne la tête et on le voit dévaler à toute vitesse et hurler à tue-tête, les bras en l'air, en plein saut de l'ange. Il en serait presque gênant avec ses airs de s'amuser plus que tout le monde. Mais ça ne dure qu'une demi-seconde et après on oublie.

On ne sait même pas comment il s'appelle.

Jusqu'au jour où on l'apprend par hasard: quelqu'un prononce un nom et, sans savoir pourquoi, on sait à qui appartient ce nom. À lui.

C'est Zinkoff.

2
Le vaste monde

Il fait partie de ces enfants nés par portées entières dans un bourg ouvrier grisâtre, à vingt kilomètres en bus d'une ville d'un million d'habitants. Les premières années, Zinkoff et les autres ne sont que des bébés qui restent à la maison, enfermés entre quatre murs, par les loquets des jardins et sous la surveillance de leur mère.

Puis arrive le jour où ils se retrouvent tout seuls sur le perron, clignant des yeux, se réchauffant au soleil comme des chiots nouveau-nés.

Au début, Zinkoff abrite ses yeux de la lumière. Puis il baisse la main. Il louche légèrement en regardant le soleil, essaie de le fixer, détourne les yeux et éclate de rire, tout excité. Puis il se précipite à nouveau vers la porte. Il ne le refera plus jamais. Les avertissements cent fois répétés de sa mère résonnent en lui : « Ne traverse pas la rue. »

Il n'y pas d'autre contrainte. Pas de barrière en vue. Pas de main d'adulte à prendre. Rien que le vaste monde devant à lui.

Il plante ses deux pieds sur le trottoir et s'élance. Il court, sans se soucier de rien que du bruit du vent dans ses oreilles. Il n'arrive pas à croire qu'il va si vite. Il n'arrive pas à croire qu'il est si libre. Étourdi par la vitesse et la liberté, il court jusqu'au bout du pâté de maisons, ralentit pour tourner à droite et reprend sa course.

Ses jambes ! Ses jambes sont si rapides ! Il se dit que si elles continuent à aller si vite, il va finir par s'envoler. Une voiture blanche arrive à sa hauteur. Il fait la course avec elle. Il est étonné de la voir gagner. Étonné mais pas triste. Il est trop libre pour être triste. Il fait de grands signes à la voiture blanche. Il s'arrête et cherche quelqu'un avec qui rire, quelqu'un avec qui fêter ça. Il ne voit personne alors il rit et se réjouit tout seul. Il saute en avant et en arrière sur le trottoir comme dans une flaque.

Il cherche sa maison. Il ne la voit pas. Face à ce soleil qui ne s'arrête jamais de briller, il hurle : « Hourraaaa ! »

Il court encore, tourne à droite, s'arrête de nouveau. Il se rend compte que s'il continue de tourner encore et encore à droite, il pourrait courir pour toujours.

Hourraaaa !

3
Gagner

Un jour ou l'autre, les chiots qu'on a détachés traversent la rue. Ils courent les uns avec les autres. Et, un jour ou l'autre, aussi vrai que deux et deux font quatre, courir joyeusement ne leur suffit plus. Ils doivent courir contre quelque chose. Les uns contre les autres. C'est leur instinct.

« On fait la course ! » crie l'un d'entre eux. Et ils font la course. Des poubelles jusqu'à l'angle de la rue. Du panneau STOP jusqu'au camion du facteur.

Leurs mères leur crient dessus parce qu'ils courent dans la rue, alors ils organisent leurs courses dans les allées. Ils envahissent les allées et y font la loi.

Ils font la course. Ils font la course en juillet et ils font la course en janvier. Ils font la course sous la pluie et ils font la course sous la neige. Ils courent côte à côte, mais pas ensemble, ils courent pour se distancier, pour se qualifier. Je suis rapide. Tu es lent. Je gagne. Tu perds. Ils oublient, pour ne plus jamais s'en souvenir, qu'ils viennent tous de la même portée de chiots.

Un jour, ils découvrent quelque chose : ils préfèrent gagner plutôt que perdre. Ils *adorent* gagner. Ils adorent tellement ça qu'ils cherchent sans cesse de nouveaux moyens de gagner :

Qui touche la cabine téléphonique avec une pierre ?

Qui mange le plus de petits gâteaux ?

Qui se couche le plus tard ?

Qui soulève le poids le plus lourd ?

Qui rote le plus fort ?

Qui grandit le plus ?

Qui est premier… premier… premier ?

Qui ?

Qui ?

Qui ?

Roter, grandir, lancer, courir – tout devient une course. Tout le monde veut gagner.

J'ai gagné !

J'ai gagné !

J'ai gagné !

Les trottoirs. Les jardins. Les allées. Les aires de jeu. Gagner. Gagner.

Sauf pour Zinkoff.

Zinkoff ne gagne jamais.

Mais Zinkoff ne le remarque même pas. Les autres chiots non plus d'ailleurs.

Pas encore.

4
Le premier jour de Zinkoff

Le premier jour d'école, Zinkoff a des problèmes.

En fait, avant même d'arriver à l'école, il a des problèmes. Avec sa mère.

Comme toutes les mères des enfants du quartier pour leur premier jour de première année d'école, madame Zinkoff a l'intention d'accompagner son fils. Le premier jour est un jour important et les mères savent à quel point il peut être effrayant pour un enfant de six ans.

Zinkoff regarde par la fenêtre les enfants qui se dirigent vers l'école. Ça lui fait penser à un défilé de carnaval.

Sa mère s'habille à l'étage. Elle crie : « Donald, *tu m'attends* ! » Elle le dit d'une voix très ferme, car elle sait à quel point son fils déteste attendre.

Le temps qu'elle descende l'escalier et il est déjà parti.

Elle ouvre brusquement la porte. Dehors, les gens forment un fleuve. Les mères tiennent la main des plus jeunes pendant que les CM1 et les CM2 crient et courent, font la loi sur les trottoirs.

Madame Zinkoff regarde le bout de la rue. Au loin elle aperçoit le long cou d'une girafe émergeant de la foule, se hâtant parmi les autres. C'est lui. C'est forcément lui. Il adore son chapeau girafe. Son père le lui a offert au zoo. Elle a dû lui répéter près de cinquante fois, pas une, pas deux, au moins cinquante : « *Ne le mets pas* à l'école. »

L'école n'est qu'à trois pâtés de maisons. Il y sera avant qu'elle ne le rattrape. Dans un soupir de renoncement, elle rentre à la maison.

La maîtresse des CP se tient près de la porte pour accueillir ses nouveaux élèves. « Bonjour... bonjour... Bienvenue à l'école. » En voyant passer devant elle une tête de girafe, elle manque de ravaler ses paroles de bienvenue. Elle regarde la girafe et le garçon juste au-dessous marcher droit devant et s'asseoir à une table au premier rang.

La cloche sonne, la maîtresse, mademoiselle Meeks, ferme la porte et vient se placer juste devant le bureau de l'élève portant cet inhabituel chapeau.

Les autres enfants rient sans façon. Elle se demande si ce garçon sera un élève à problèmes. C'est la dernière année d'enseignement de mademoiselle Meeks et un élève à problèmes est bien la dernière chose dont elle ait besoin.

– Quel drôle de chapeau tu portes là, dit-elle.

Et c'est vrai que ce chapeau ressemble vraiment à une tête de girafe.

Le garçon saute sur ses deux pieds. Il sourit largement.

– C'est une girafe.

– Oui, c'est ce que je vois. Mais j'ai bien peur que tu ne doives le retirer. On ne porte pas de chapeau en classe.

– D'accord, répond-il gaiement. Et il enlève son chapeau.

– Tu peux te rasseoir.

– D'accord.

Il a l'air plutôt gentil. Il ne posera peut-être pas tant de problèmes que ça.

Elle doit à présent lui annoncer qu'il ne peut pas garder le chapeau avec lui. Elle espère qu'il ne va pas se mettre à hurler. Les élèves de CP sont parfois très imprévisibles. On ne sait jamais ce qui peut les faire partir.

Elle lui dit. Elle garde un œil sur sa lèvre inférieure pour vérifier qu'elle ne se met pas à trembloter. Non. Au lieu de cela, il bondit sur ses deux pieds, claironne un tonitruant « Oui, M'dame » et lui tend le chapeau.

Oui, M'dame ? Où a-t-il entendu ça ? Elle sourit et lui chuchote, « Merci. Assieds-toi maintenant. »

Il chuchote à son tour, « Oui, M'dame ! ».

Vingt-six têtes la suivent du regard quand elle se dirige vers les casiers au fond de la classe avec ce chapeau d'un mètre de haut dans les mains. Elle a étiqueté les casiers la veille mais se rend compte soudain qu'elle ne sait pas lequel est destiné à ce garçon. Elle se retourne.

– Comment t'appelles-tu, jeune homme ?

Il saute brusquement et hurle à pleins poumons :

– Zinkoff !

Elle détourne la tête pour s'empêcher d'exploser de rire. En trente ans d'enseignement, elle n'a jamais vu un élève se présenter de cette façon.

Elle revient vers lui et s'incline légèrement, puisque la révérence semble s'imposer.

– Merci. Mais ce n'est pas la peine de crier, Monsieur Zinkoff. Avez-vous un prénom ?

La classe trépigne.

– Donald, répond-il.

– Merci, Donald. Tu peux te rasseoir sur ta chaise et y rester. Tu n'es pas obligé de te lever pour parler.

– Oui, M'dame.

Les casiers, comme le seront bientôt les élèves eux-mêmes, sont classés par ordre alphabétique. Elle se dirige directement vers le dernier et y enfouit la girafc. Le casier n'est pas assez profond. On dirait qu'un bébé girafe est en train d'y faire la sieste. Elle se dit qu'elle entendra souvent parler de Donald Zinkoff, et pas seulement en matière de casier.

5
Tous à bord

Mademoiselle Meeks se tient debout face à la classe et, pour la trente-et-unième et dernière fois, s'apprête à prononcer son célèbre discours de premier jour :

«Bonjour à vous, jeunes citoyens...»

Elle aime cette idée que, dans quelques années, un élève ou deux se souviendront que mademoiselle Meeks les appelait «jeunes citoyens» dès la première année. Elle trouve que les enfants américains sont un peu trop dorlotés et bien trop longtemps.

– Soyez les bienvenus pour votre premier jour à l'école élémentaire John W. Satterfield. C'est un grand, un très grand jour pour vous. Ce n'est pas seulement le premier jour de l'année scolaire, c'est aussi le début de *douze* années d'école. Si tout va bien, d'ici à douze ans, chacun d'entre vous sortira diplômé du lycée. Vu d'ici, cela vous paraît une éternité, n'est-ce pas ?

Comme toujours, elle voit un océan de hochements de tête.

– Mais cela va venir. Ces douze ans vont passer, et vous aurez appris à écrire une vraie phrase. À résoudre une équation. Et même à épeler correctement le mot...

Elle s'arrête, figée dans une pause théâtrale, ouvre grands les yeux comme si une image du futur lui était apparue :

« Tintinnabuler. »

Des gloussements sonores s'échappent de la mer d'yeux écarquillés et de bouches grandes ouvertes. Certains remuent même énergiquement la tête, refusant d'y croire. Elle jette un coup d'œil rapide à Donald Zinkoff. Il est le seul à sourire, à même franchement rire, comme assailli de chatouilles.

– Avant de sortir diplômés du lycée, certains d'entre vous conduiront des voitures et auront déjà fait des petits boulots. Vous serez alors prêts à prendre votre place dans le monde. Vous pourrez même voyager à travers tout le pays si vous le voulez. Ou dans un autre pays. Vous serez prêts à fonder votre propre famille. Quelle formidable aventure ! Et c'est ici qu'elle commence. Tout de suite. Aujourd'hui. Nous commençons un voyage et une aventure au long cours.

Elle s'arrête. Elle lève les bras.

– De combien de jours ? me demanderez-vous.

Plusieurs mains se lèvent. Elle sait que si elle les laisse répondre, l'un d'eux mettra tout son numéro par terre en lui donnant une réponse à quatre zéros. Elle les ignore, se dirige vers le tableau et, à l'aide d'une craie toute neuve, fraîchement coupée et crissante, elle écrit les larges chiffres sur l'ardoise verte :

180

– Ceci, dit-elle, est le nombre de jours que vous passez à l'école chaque année.

Elle se retourne vers le tableau. Sous les 180 elle inscrit :

x 12

– Cela est le nombre d'années pendant lesquelles vous allez à l'école. Et maintenant multiplions.

Elle fait le calcul au tableau, dessinant chaque chiffre lentement et en grand :

$$
\begin{array}{r}
180 \\
\times 12 \\
\hline
360 \\
+\ 180 \\
\hline
2160
\end{array}
$$

Elle désigne le chiffre tout en bas.

– Et voilà ! Et elle frappe deux fois le tableau de sa craie. Deux mille cent soixante. C'est le nombre de jours que comporte votre voyage, c'est la durée de votre aventure. Chacun de ces jours sera l'occasion d'apprendre quelque chose de nouveau. Essayez seulement d'*imaginer* le nombre de choses que l'on peut apprendre en deux mille cent soixante jours !

Elle s'arrête pour les laisser imaginer.

– Douze mille cent soixante aventures. Douze mille cent soixante occasions de devenir ce que vous voulez être. C'est ce que vous attendez depuis six ans et ça commence aujourd'hui.

Elle aimerait avoir son appareil photo.

Elle regarde l'horloge au-dessus de la porte. Elle fait semblant d'être surprise.

– Mon Dieu ! Regardez ! Le temps passe si vite ! Sans même vous en rendre compte, il ne restera bientôt que douze mille cent cinquante-neuf jours. Notre premier jour s'écoule et nous n'avons encore rien appris ! Que diriez-vous de faire démarrer le train du savoir ?

Elle plonge la main dans le tiroir de son bureau et en ressort la vieille casquette bleu marine de conducteur de train. Pour la trente et unième et dernière fois, elle la visse sur sa tête. Elle fait signe deux fois de la main :

– Tchou ! Tchou ! Tous à bord du Train du Savoir ! Premier arrêt : J'Écris Mon Nom ! Qui monte à bord ?

Vingt-six mains se tendent. Et Zinkoff, sautant si vite sur ses deux pieds qu'il en renverse son bureau dans un fracas très éprouvant pour les nerfs, lance les bras et braille en direction du plafond : « Hourraaaa ! »

6
Une question passionnante

Donald Zinkoff

Avant d'entrer en CP, il a appris les lettres de l'alphabet. Certaines d'entre elles en tout cas. Et bien sûr il a vu son nom écrit de temps en temps. Mais il ne l'a jamais décalqué. Il n'a jamais essayé de le recopier, n'a jamais voyagé grâce à la pointe de son stylo, n'a jamais ressenti les formes et les mouvements des lettres de son prénom.

D o n

Maintenant qu'il déplace son stylo entre les lignes bleues du papier, il frissonne. Il fixe son prénom et c'est comme s'il se regardait lui-même. Comme si le

Donald Zinkoff né il y a six ans était d'une certaine manière, ici et à cet instant, en train de renaître de sa propre main.

Il se précipite vers la maîtresse et lui colle sa feuille sous le nez :

– Regardez ! C'est moi !

Elle prend la feuille. Il y a son nom en haut tel qu'elle l'a écrit correctement afin qu'il le recopie, comme elle l'a fait pour tous les autres élèves. Juste au-dessous, se trouve sa tentative à lui. Si elle ne savait pas ce que c'était censé être, elle ne parviendrait même pas à le déchiffrer. Les lignes confuses tracées par le stylo n'ont pas plus de sens que le gribouillage d'un enfant de deux ans.

La joie qui rayonne du visage de Donald la fait sourire. Elle pose une main sur son épaule :

– Pour être tout à fait exacte, dit-elle, ce n'est pas toi, c'est ton nom. Ton nom est très important. Il te représente.

– Qu'est-ce que ça veut dire « représente » ?, demande-t-il.

– Ça veut dire qu'il prend ta place. Il se substitue à toi. Si toi tu n'es pas dans un endroit particulier, ton nom peut y être à ta place. C'est pourquoi il est très important de savoir l'écrire correctement.

– Et pour savoir l'écrire correctement, il faut s'entraîner, lui dit-elle en lui rendant sa feuille. Et utilise les deux faces du papier.

Une centaine de faces n'y aurait rien changé. En ramassant les travaux de chacun avant la récréation, elle se rend compte qu'elle ne peut toujours pas déchiffrer le nom de Donald Zinkoff. En soi, ce n'est pas si grave. Ce n'est pas la première fois qu'elle tombe sur un enfant si brouillon. Par le passé, elle a même déjà eu des élèves excellents incapables d'écrire le moindre mot lisible. D'un autre côté, une maladresse à l'écrit peut aussi révéler un problème d'habileté motrice. Pour le plus grand bien de ce garçon, elle espère que c'est seulement son caractère peu soigneux qui est en cause.

C'est l'heure de la récréation !

À dix heures précises, Zinkoff déboule dans la cour avec les autres élèves de CP, CE1 et CE2. La première minute le déçoit énormément. Il pensait que la récréation serait quelque chose de différent, de nouveau. Il s'avère que ce n'est que du temps libre. La récréation se révèle n'être qu'un autre nom pour la vie telle qu'il l'a toujours connue. En plus court. Sa première récré a duré six ans. Celle-ci quinze minutes. Il entend bien en profiter le plus possible.

Il retourne dans le bâtiment à toute vitesse. Personne ne l'arrête. Personne ne le voit. Personne n'est jamais revenu dans la classe pendant la récréation. Il sort son chapeau girafe du casier et se précipite à nouveau dans la cour.

– Hé ! C'est lui, crie quelqu'un. Le gars au chapeau !

En quelques secondes une foule s'attroupe autour de lui, certains essaient de toucher le chapeau, d'autres lui demandent s'ils peuvent l'essayer.

Et le chapeau disparaît, arraché de sa tête. Un garçon l'a attrapé, s'est enfui avec et l'a enfoncé sur le sommet de son crâne. D'autres mains se tendent pour le toucher, l'attraper, l'arracher. Le chapeau vole de tête en tête. Les enfants hurlent, rigolent. Un élève de CE1 s'échappe avec. Il galope tout autour de la cour. Le chapeau jaune et marron balance sur sa tête comme le ferait une vraie girafe. Zinkoff rit haut et fort. Ce spectacle lui plaît tellement qu'il en oublie que c'est son chapeau.

Puis un grand garçon roux de CM2 se plante devant le coureur et tend sa main. Le CE1 retire alors le chapeau et le lui remet. Le grand garçon roux regarde avec attention le chapeau. Au lieu de le mettre sur sa tête, il y plonge son bras jusqu'à l'épaule. Avec sa main à l'intérieur, il fait bouger la tête de la girafe comme si elle parlait. Il s'avance vers un de ses copains tout aussi grand que lui et lui pince le nez avec la bouche de la girafe. Tout le monde rigole. Zinkoff rigole. Même la surveillante rigole.

Le garçon se tourne vers les CP qui se tiennent à distance

– À qui il est, ce chapeau ?

Zinkoff s'avance en courant, trébuche et atterrit face contre terre. Tout le monde rigole. Zinkoff rigole aussi et s'avance vers le grand roux. Il se tient un peu plus près de lui que ne devrait l'être un élève de CP et regarde le CM2 droit dans les yeux et lui déclare fièrement :

– C'est *mon* chapeau !

Le garçon sourit et remue lentement la tête.

– C'est *mon* chapeau.

Zinkoff ne peut pas s'empêcher de le regarder. Il est fasciné par le visage du garçon. Il n'a jamais vu un visage sourire et dire non en même temps.

Puis il comprend qu'apparemment, il a dû y avoir une erreur. Le grand garçon était peut-être au zoo le même jour que Zinkoff. Il a dû acheter le chapeau d'abord et l'oublier derrière lui par erreur. En tout cas, si une chose est sûre, c'est que le garçon a bien dit : « C'est *mon* chapeau. »

Zinkoff est triste. Il aimait vraiment beaucoup ce chapeau qu'il avait pris pour le sien. En même temps, il n'est pas si triste : savoir que le grand garçon a retrouvé son chapeau le rend heureux.

Le garçon le regarde toujours de haut en souriant. Zinkoff a appris que les sourires n'aimaient pas la solitude et il décide de lui envoyer à son tour un grand sourire pour tenir compagnie à celui du garçon.

– D'accord, répond-il joyeusement.

Le sourire du garçon se tord et disparaît de son visage. Zinkoff ne le sait pas encore mais il vient juste de priver celui-ci d'une grande joie. Le garçon espérait que Zinkoff allait en faire un drame, essayer de récupérer son chapeau, voire pleurer et, avec un peu de chance, piquer une crise. Il adore voir les CP piquer des crises, il trouve ça marrant. Et maintenant il est privé de son amusement favori par cette espèce de petit insecte gentil et souriant qui se trouve en face de lui.

Le grand garçon retire le chapeau. Il donne un coup de corne de girafe sur le front de Zinkoff.

– C'est pas le mien, espèce de crétin.

Il remue la tête et ricane. Il se tourne vers ses copains.

– Ils sont vraiment bêtes, ces CP !

Ses copains rigolent. Il jette le chapeau par terre et prend bien soin de le piétiner en partant.

Zinkoff ramasse le chapeau. Sa fourrure est toute sale. Le garçon se retourne tout à coup et le regarde. Zinkoff lâche le chapeau par terre au cas où le garçon aurait envie de le piétiner un petit coup de plus, mais il ne fait que rire et s'éloigne pour de bon.

La mère de Zinkoff l'attend à la sortie de l'école. Sur le chemin du retour, il n'arrête pas de jacasser à propos de cet incroyable premier jour :

– Aimes-tu ta maîtresse ? lui demande-t-elle.

– J'adore ma maîtresse ! répond-il. Elle nous appelle « jeunes citoyens » !

Elle tapote le dessus du chapeau qui rend Zinkoff presque aussi grand qu'elle :

– Toutes mes félicitations.

Il hoche la tête.

– J'aurai une étoile ?

– Et comment !

Sa mère a toujours sur elle un sac en plastique rempli d'étoiles argentées. Elle en sort une, la lèche et lui colle sur la chemise.

– Et voilà !

Alors qu'il se penche pour admirer son étoile, son chapeau penche dangereusement. Sa mère lui enlève et se le met sur la tête. Zinkoff éclate de rire et applaudit des deux mains. Sa mère garde le chapeau girafe tout le long du chemin.

Zinkoff est assis sur le seuil de la maison et attend que son père rentre du travail. Son père est facteur. Pour faire son travail, il marche à pied toute la journée, mais pour aller à la poste et en revenir il prend sa vieille casserole. Les Zinkoff n'ont pas les moyens de s'acheter des voitures neuves, alors monsieur Zinkoff n'achète que des voitures d'occasion. Il est dans tous ses états chaque fois qu'il en achète une. Il l'appelle « ma petite voiture chérie » ! Et puis, à chaque fois, un ou deux mois après, sa petite voiture chérie commence à donner des signes de faiblesse. Un pneu rechapé perd son caoutchouc, le carburateur commence à tousser, les ceintures de sécurité se cassent. Il répare tout cela à coups de bande adhésive, de pelote de fil de fer ou de chewing-gum, mais bientôt, la seule chose qui tienne encore le coup, c'est la confiance de monsieur Zinkoff en sa petite voiture chérie.

Madame Z. finit toujours par murmurer à son fils, « encore une vieille casserole ». Zinkoff rigole et hoche la tête, mais il ne prononce jamais le mot « casserole » devant son père de peur de le blesser. Et, peu de temps après que madame Z. a prononcé le mot « casserole », la voiture rend l'âme, en général un jour de pluie sur le chemin de la poste. La voiture refuse catégoriquement d'avancer d'un centimètre de plus sur la surface de cette terre, et même monsieur Z sait que tous les chewing-gums du monde n'y pourront rien changer. Le lendemain, il en a marre et part aussitôt acheter une nouvelle petite voiture chérie.

Cette histoire s'étant déjà répétée à quatre reprises, madame Zinkoff et son fils ont surnommé, entre eux seulement, la voiture actuelle « Vieille Casserole IV ».

Zinkoff entend arriver Vieille Casserole IV bien avant de la voir. Elle émet un son aigu qui n'est pas sans lui rappeler les barrissements d'éléphant qu'il a entendus dans des films. Il se précipite au bord du trottoir juste au moment où la voiture passe le virage et s'arrête en cahotant. Et comme d'habitude, une odeur de brûlé empli l'air environnant.

– Papa ! crie Zinkoff en sautant dans les bras de son père. Je suis allé à l'école !

– Je vois ça : une étoile ! répond son père en l'accompagnant dans la maison.

Pendant le dîner, Zinkoff raconte son premier jour, ainsi qu'après le dîner, et ainsi de suite jusqu'à l'heure du coucher. Comme chaque soir, sa mère prononce sa dernière phrase : « Fais tes prières ». Et pendant qu'elle range le chapeau girafe dans le coffre entre les tétines et un bavoir à motifs, Zinkoff colle l'étoile de sa chemise sur son pyjama. Il grimpe sur le lit et raconte son premier jour d'école à Dieu. Puis aux étoiles.

À cette époque de sa vie, Zinkoff ne fait aucune différence entre les étoiles du ciel et celles qui sont dans le sac en plastique de sa mère. Il pense que les étoiles tombent régulièrement sur terre et que sa mère s'en va tout aussi régulièrement les glaner. Il pense qu'une paire de gants très épais et que des lunettes noires sont indispensables à une telle tâche, car les étoiles sont sûrement brûlantes et aveuglantes. Elle les met au congélateur pendant quarante-cinq minutes, et elles en ressortent plates, argentées et adhésives, prêtes à atterrir sur ses chemises.

Il se sent proche des étoiles qui sont restées accrochées dans le ciel. Il les considère comme ses veilleuses. À mesure qu'il s'assoupit, il se demande qui est le plus grand : le nombre d'étoiles encore au ciel ou le nombre de jours d'école qui lui restent à vivre ? Voilà une question passionnante.

7
TRIFOUILLIS

Zinkoff fait une grande découverte : pour lui, c'est comme si chaque jour d'école était le premier.

Tout ce qui lui arrive en une journée ne fait que raviver l'enthousiasme du premier jour. Apprendre à lire son premier mot à deux syllabes, fabriquer, dans une boîte à chaussures, une petite scène de théâtre sur les premiers Pèlerins arrivés en Amérique, compter jusqu'à cinq en espagnol, tout savoir sur l'eau, les fourmis ou les caries, son premier exercice d'incendie, ou encore se faire de nouveaux amis.

Le soir, à table, Zinkoff raconte sa journée à ses parents. Mais ce qu'il attend, ce sont les questions de son père. « Alors, quoi de neuf, Têtedeuf ? » ou « Ça roule, Raoul ? » ou « Ça roule, Semoule ? » ou « Ça roule, Piédepoule ? ». Beaucoup de choses amusent Zinkoff, mais rien ne le fait plus rire que le son d'un mot rigolo. Les mots le chatouillent comme des doigts glissant le long de ses côtes. Chaque fois que son père en invente un nouveau, Zinkoff est obligé de poser sa fourchette pour exploser de rire. En général, il se retrouve penché sur le côté, comme terrassé par une énorme bourrasque. Parfois il en tombe même de sa chaise.

Mais le meilleur, c'est sa maîtresse, mademoiselle Meeks, qui l'a trouvé. Un jour qu'elle se tenait devant le tableau vert en train d'essayer d'expliquer ce que représenterait un milliard de ballons de basket :

– Si on pose le premier ici, dit-elle en désignant le sol, et qu'on aligne les autres jusqu'à la porte, le long du hall d'entrée, à travers la cour puis dans la rue – ils iraient jusqu'à Trifouillis !

La classe n'est plus qu'un océan d'yeux rêveurs.

Ouah !

Quelqu'un demande : « C'est où Trifouillis ? »

Mademoiselle Meeks explique qu'il n'existe pas de lieu appelé Trifouillis, mais que c'est juste sa façon à elle de désigner un endroit très très éloigné.

À ce stade, au dernier siège du dernier rang, Zinkoff bascule dangereusement sur la gauche et tombe de sa chaise. La maîtresse se précipite vers lui. Son visage est rouge. Les larmes ruissellent sur ses joues. Il cherche de l'air pour respirer.

– Donald ! Donald ! crie-t-elle alors qu'elle est tout près de lui.

Il lève vers elle ses yeux pleins de larmes et glousse : « Trifouillis ! » Puis il s'effondre sur le sol.

C'est à ce moment-là que mademoiselle Meeks comprend que son élève n'est pas en train de mourir, mais de rire à en perdre haleine.

Zinkoff se calme enfin au bout de cinq minutes, et la classe peut reprendre son cours. Mademoiselle Meeks interdit à tout le monde – ainsi qu'à elle-même – de prononcer le mot « Trifouillis » avant la fin de la journée. Cela n'empêche pas certaines éruptions de rire, de temps en temps, au fond de la classe aux moments où le mot résonne dans la tête de Zinkoff.

Ce jour-là, quand il entend Vieille Casserole IV arriver et qu'il la voit longer le bord du trottoir, il se précipite :

– Papa ! Papa ! Tu as déjà entendu parler de Trifouillis ?

– Bien sûr, répond son père par la fenêtre ouverte. J'ai même déjà entendu parlé de Trifouilloux.

Zinkoff se roule sur le trottoir. Trifouillis. Trifouilloux. Il continue de rire pendant le dîner et manger devient quelque chose de très risqué. Ses parents sourient patiemment les premières minutes, puis commencent à lui dire que ça suffit. Mais Zinkoff ne peut pas s'arrêter. Quand un jet de purée sort de son nez, ses parents l'envoient dans sa chambre. Cette nuit-là, il a le fou rire pendant ses prières et pendant son sommeil.

À l'école, des éruptions de rire continuent de secouer le corps de Zinkoff jusqu'à la fin de la semaine. Chaque éruption provoque le rire parmi les autres élèves. Parfois, pour le faire démarrer, un des élèves attend que la maîtresse ait le dos tourné pour lui susurrer le mot interdit. Parfois mademoiselle Meeks se mord les lèvres pour s'empêcher de faire comme eux, parfois elle devient juste folle.

– Donald, viens ici, s'il te plaît, explose t-elle un jour.

Une fois qu'il est debout devant elle, elle sort quelque chose de son tiroir. C'est un badge rond et jaune. Le plus gros badge que les élèves aient jamais vu, aussi gros qu'un caramel rond géant. Avec de grandes lettres noires dessus.

– Peux-tu me lire ce qui est écrit?

Zinkoff observe attentivement le badge. Il finit par secouer la tête.

– C'est écrit «Je suis sage».

Et elle le colle sur sa chemise.

– Et je sais que tu peux l'être.

Zinkoff est obligé de porter le badge pendant une heure. Pendant tout ce temps, il ne rit pas. Mademoiselle Meeks estime que sa manœuvre est un succès et range le badge dans le tiroir. Zinkoff se remet bientôt à rire. Il a droit au badge de nouveau.

Ainsi de suite pendant plusieurs jours. Les CE1, qui connaissent le coup du badge depuis l'année dernière et qui ont entendu parler du fou rire sans fin de Zinkoff, lui demandent quotidiennement s'il a eu droit au badge.

Un jour, mademoiselle Meeks doit s'absenter de la classe pour quelques instants. Quand elle revient, elle voit Zinkoff lever la main frénétiquement.

– Oui, Donald?

– Mademoiselle Meeks, dit-il, j'ai rigolé pendant que vous étiez partie.

C'est là quelle comprend enfin que, pour Zinkoff, le badge n'est absolument pas une punition mais plutôt une décoration honorifique. Elle décide alors qu'à partir de maintenant, elle punira Zinkoff en gardant le badge au fond du tiroir.

Badge ou pas badge, Zinkoff adore l'école. Un jour, il se réveille avant tout le monde dans la maison. Il s'habille tout seul et prépare son petit déjeuner lui-même. Il se brosse les dents et file vers l'école. Il doit être tôt, pense-t-il, en ne voyant ni l'agent de circulation au passage piéton, ni les autres écoliers sur le chemin.

Il est assis sur les marches du devant en attendant que les portes s'ouvrent quand il reconnaît Casserole IV. Ses parents en sortent affolés après s'être garés devant l'école et courent tous les deux vers lui :

– Donald, nous t'avons cherché partout ! Tu n'étais pas dans ton lit !

– Je suis venu à l'école tout seul, déclare-t-il fièrement.

Ses parents se regardent. Sa mère se mord les lèvres. Son père le prend dans ses bras et dit :

– Tu es vraiment un grand pour avoir fait ça tout seul. Le seul problème, c'est qu'il n'y a pas école aujourd'hui. Nous sommes samedi.

Quand mademoiselle Meeks fait passer Zinkoff en CE1, elle écrit au dos de son dernier bulletin scolaire :

«Donald a parfois du mal à se maîtriser et j'aimerais qu'il soit plus ordonné, mais il a bon caractère. Votre fils est un enfant heureux! Et de toute évidence, il aime l'école!»

8
DEUX NOUVEAUX AMIS

Pendant les grandes vacances, Zinkoff se fait deux nouveaux amis. Le premier, c'est sa petite sœur qui vient de naître. Le deuxième, c'est un voisin. Sa petite sœur s'appelle Polly. Le voisin s'appelle Andrew.

La première fois que Zinkoff rencontre le bébé, sa mère lui dit : « Regarde » et elle baisse la couverture. Zinkoff n'en croit pas ses yeux. Ce bébé n'a même pas un jour et déjà deux étoiles argentées collées sur sa couche. Qu'a-t-elle bien pu faire pour mériter déjà deux étoiles ? Lui n'a jamais été récompensé par plus d'une étoile à la fois.

– Maman ? demande-t-il. *Deux* étoiles d'un coup ? Mais qu'est-ce qu'elle a *fait* ?

– Elle a fait la plus belle chose qui soit, lui répond sa mère en remontant la couverture : elle est née.

Aurait-on, par hasard, mal informé Zinkoff ?

– Moi aussi, je suis né, non ?

– Absolument. Tu es tout aussi né que Polly, lui dit-elle en lui tapotant la main.

– Alors, répond-il, comment ça se fait que je n'ai pas eu deux étoiles ?

– Qui a dit que tu n'en avais pas eu deux ?

Son regard s'illumine.

– C'est vrai ?

– Excuse-moi. Je te faisais marcher, avoue-t-elle en lui frottant le dessus de la tête. Tu es né avant que je ne commence à distribuer des étoiles.

Elle le prend à nouveau dans ses bras.

– Que dis-tu de ça : si je te donnais tes étoiles de naissance maintenant ? Mieux vaut tard que jamais, non ?

Le visage de Zinkoff s'éclaire pour la deuxième fois :

– Ouais !

Mais sa mère n'a pas terminé :

– Et que dis-tu de cela ? On pourrait faire un marché : attendons une très mauvaise journée, une journée où tu auras vraiment besoin de deux étoiles pour te remonter le moral. C'est à ce moment-là que tu les auras.

Il y réfléchit à son tour : il déteste attendre, mais il adore faire des marchés.

– C'est d'accord, dit-il en serrant la main de sa mère. Puis il fouille sous la couverture et serre le pied du bébé.

Deux mois plus tard, les nouveaux voisins emménagent dans la maison d'à côté. Le même jour, madame Zinkoff prépare un gros gâteau aux fraises et l'apporte jusqu'à la porte d'entrée. Son aîné la talonne :

– C'est comme ça qu'on souhaite la bienvenue aux gens !

Il se tient près de sa mère quand elle sonne à la porte, s'exclame : « Bienvenue dans le quartier ! » et tend le gâteau à la nouvelle voisine, dont le nom est madame Orwell, mais dont le prénom est tout de même mieux : Cherise.

Puis, on le présente :

– Voici mon fils Donald.

Cherise le regarde, lui tend la main et dit :

– Bonjour, Donald. J'ai un fils aussi. Il s'appelle Andrew. Quel âge as-tu ?

– Six ans, répond-il.

– Comme Andrew !

Zinkoff regarde les deux femmes avec émerveillement.

– Ouah ! Exactement comme moi !

Il regarde derrière Cherise.

– Est-ce qu'il est là ?

– Oui, il est là, répond Cherise, mais il se cache. Il dit qu'il ne veut pas sortir, il est fâché parce qu'on a déménagé de notre ancienne maison.

Zinkoff réfléchit à la situation un moment. Il lève un doigt devant Cherise.

– J'ai une idée. Dites à Andrew que mon père est facteur. Ça le fera sortir.

Pour Zinkoff, livrer le courrier chaque matin est le métier le plus formidable qui soit.

Cherise approuve solennellement :

– J'essaierai.

Sur le chemin du retour vers la maison, aux côtés de sa mère, Zinkoff a une autre idée :

– Je vais fabriquer moi-même un cadeau de bienvenue pour Andrew.

– Bonne idée, dit sa mère. Un gâteau ?

– Non, un cookie.

Sa mère n'y voit aucun inconvénient. Ses parents, dans la mesure du possible, ne disent pas « non » à Zinkoff, sauf si cela s'avère vraiment nécessaire. Alors quand il annonce qu'il a l'intention de faire un cookie, sa mère demande simplement quel genre de cookie.

Il n'hésite pas :

– Un Glapiblab' !

Le Glapiblab' est son cookie préféré. Il aime tous les cookies mais le Glapiblab' lui semble deux fois meilleur à cause de son nom. Parfois son père dit « Gloupibloub' » et le fait rire pendant une heure.

L'idée de Zinkoff est de préparer un Glapiblab' si énorme que le nouveau voisin sera *obligé* de sortir pour le voir.

Étant donné qu'il le prépare sur la table de la cuisine, il se rend bientôt compte que le plus grand cookie qu'il puisse confectionner ne dépassera pas la taille de la table elle-même. Mais sa mère lui fait remarquer qu'un cookie aussi grand ne tiendra jamais dans le four. Il se décide donc pour un cookie rectangulaire qui couvrira toute la surface de la plaque du four.

Chaque fois que sa mère essaie de l'aider, le pâtissier en herbe claque des doigts en disant « Je peux le faire ». Elle se contente donc de lui donner les instructions et de répéter un nombre incalculable de fois : « Mon Dieu, aidez-moi », pendant que son intrépide fils met la cuisine sens dessus dessous. La farine et les œufs voltigent de partout. D'ici à quatre semaines, toute la famille sentira encore le sucre crisser sous ses semelles.

Finalement, miraculeusement, le cookie est cuit. Il arrache le gant rembourré et la manique des mains de sa mère – «Je peux le faire *tout seul*!» –, il tire la plaque brûlante du four et la pose sur la table de la cuisine. Toujours aussi impatient, il ne peut pas attendre qu'elle refroidisse, il souffle sur le cookie fumant jusqu'à en perdre haleine et l'évente de ses mains. Enfin quand la plaque est suffisamment tiède pour la toucher sans le gant, Zinkoff se précipite avec chez les voisins.

Il sonne et Cherise ouvre la porte.

– Donald!

– Salut Cherise. J'ai préparé un cookie de bienvenue pour Andrew. C'est un Glapiblab' Je pense que si vous le posez par terre et que vous attendez un peu, il le sentira et il finira par sortir.

Zinkoff est tout ce qu'il y a de plus sérieux, mais Cherise se met à rire.

– Entre, dit-elle. Attends ici.

Cherise le laisse debout au milieu du salon. Il entend des chuchotements à l'étage. À un moment il entend un « Non ! » ferme. Puis des bruits de pas qui descendent l'escalier, et voici enfin Andrew Orwell qui se dirige vers lui avec son air grincheux et son pyjama en plein milieu de la journée.

– Salut, dit Zinkoff. Je m'appelle Donald Zinkoff, je suis ton voisin. Je t'ai préparé un cookie de bienvenue. C'est un Glapiblab'.

Le visage d'Andrew s'anime. Il s'approche pour respirer l'odeur du cookie. Zinkoff l'a eu. Il attrape la spatule que sa mère lui a conseillé d'emporter avec lui, car il sait qu'un cookie ne devient véritablement cookie qu'à partir du moment où il est passé de la plaque à la main. Il pose donc la plaque par terre, décolle le Glapiblab' géant sur les côtés et soulève son cadeau de bienvenue tiède, doux et incroyablement odorant. Il le soulève avec ses deux mains et le tend à Andrew. Alors que celui-ci tend ses mains, le cookie, sans plaque ni autre support, s'effondre sous son propre poids et s'écrase au sol. Zinkoff se retrouve avec un morceau dans chaque main, de la taille d'une bouchée chacun.

Andrew Orwell contemple le sol avec horreur. Il hurle.

– Mon cookie !

Il crie sur Zinkoff.

– Tu l'as lâché !

Et il remonte les escaliers en hurlant : « Je déteste cet endroit ! »

Zinkoff enfourne un morceau dans sa bouche, puis l'autre. Il rassemble les bouts de cookie éparpillés sur le sol et les ramène chez lui sur la plaque. Il s'assoit sur le perron. Toute personne passant devant chez Donald Zinkoff ce jour-là se voit offrir un morceau de cookie. Entre deux distributions, Zinkoff se sert.

Quand Vieille Casserole IV surgit dans le virage, il ne reste plus de cookie. Zinkoff se précipite vers son père, plonge sa tête dans son sac à courrier et vomit.

Zinkoff est né avec une valve montée à l'envers à l'estomac. Si bien qu'il vomit plusieurs fois par semaine. Pour Zinkoff, vomir est presque aussi normal que respirer.

Mais pas pour son père qui a, ce soir-là, rapporté son sac à courrier à la maison pour en réparer la lanière. Quand Donald était petit, M. Zinkoff était assez expert pour changer ses couches, mais ne résistait pas aux vomissements. Il se détourne, tend le sac et grogne : « Apporte-le à ta mère. »

Quelques années auparavant, la mère de Zinkoff lui a pourtant appris les règles de base du vomissement : ne pas vomir n'importe où mais bien *dans* quelque chose, de préférence une cuvette de toilettes ou un seau. Étant donné qu'on n'a pas toujours à portée de main ni toilettes ni seau, Zinkoff a appris à se précipiter vers le container le plus proche. C'est ainsi que, d'une fois sur l'autre, il a vomi dans un bol de soupe, un pot de fleurs, une corbeille à papier, une poubelle, un cabas à provisions, des après-ski, un évier et, une fois, dans le chapeau d'un clown. Mais jamais dans le sac à courrier de son père.

Il croit que sa mère va dire : « Mon Dieu, aidez-moi », mais non. Elle est détendue. Elle pose la petite Polly et va vider le sac dans les toilettes. Elle le frotte avec une brosse à poils durs et du savon. Elle l'enduit de cirage Marley. Elle le désodorise à coups d'après-rasage Mennen et le met dans le parc de Polly pour qu'elle s'amuse avec.

Ce soir-là, Zinkoff a encore faim et mange tout son dîner. Et le vomit dans une de ses chaussettes.

« Mon Dieu, aidez-moi. »

9
CHAMPIONS !

Zinkoff aime le football. C'est son sport.

Au base-ball, il faut beaucoup de patience et il y a trop de lignes droites, lancer un ballon au basket requiert trop de précision, quant au football américain, ce n'est amusant que pour celui qui a le ballon en main.

Alors que le foot, c'est pareil pour tout le monde. Aussi hasardeux et fortuit que Zinkoff lui-même. En cet automne de ses sept ans, il joue dans l'équipe des Titans. Chaque samedi matin, il est le premier sur le terrain à shooter dans les pommes de pin en attendant que les entraîneurs arrivent.

Une fois le match commencé, Zinkoff ne s'arrête jamais de courir. Il zigzague derrière le ballon à damiers, comme un renard après une souris des champs – sauf qu'il l'attrape assez rarement. C'est comme si quelqu'un arrivait toujours à l'attraper avant lui. Zinkoff envoie systématiquement son pied sur le ballon une demi-seconde après qu'il lui soit passé devant. Il est en revanche le meilleur en matière de coups de pied dans les tibias, chevilles et derrières des autres joueurs. À deux reprises, il a donné un coup de pied à l'arbitre. Une fois, il s'est même débrouillé pour se donner un coup de pied à lui-même. Ses coéquipiers frottent leurs bleus et l'appellent «Pied Sauvage».

Pour Zinkoff, une cage de but est une cage de but. Peu importe à quelle équipe elle appartient. Plusieurs fois dans la saison, il a envoyé le ballon dans les mauvais buts. Heureusement, il les a toujours ratés.

Le premier match les oppose aux Ramblers. À la fin, Zinkoff saute dans tous les sens, lève les poings comme il a vu les athlètes le faire et hurle «Hourraaaaaaa!». Il ne remarque pas qu'il est le seul Titan à se réjouir.

– Pourquoi t'es si jouasse? lui demande Robert, un de ses coéquipiers. On a perdu.

Ceci est pour Zinkoff un élément nouveau: pendant tout le match, et jusqu'à la fin, il n'a pas pensé au score. Apparemment, Robert est très malheureux d'avoir perdu. Ça se voit sur son visage, à la façon dont il shoote dans le gazon. Zinkoff regarde autour de lui. Les autres Titans shootent aussi dans le gazon, tapent des pieds ou se frappent les cuisses avec les poings, ils ont le visage dévasté de douleur. Puis l'entraîneur invite les Titans à se rassembler. « Bon, à trois, pour les Ramblers. Un, deux, trois... » Zinkoff beugle « Pour les Ramblers ! » et ajoute « Bravo les mecs ! ».

Un vague « Pour les Ramblers » sort de la bouche des autres Titans.

Puis l'entraîneur aligne ses Titans face aux Ramblers en ligne eux aussi, les Titans et les Ramblers se serrent la main les uns après les autres, hop hop hop, pas de visage triste chez les Ramblers qui continuent à dire « Bon match, bon match, bon match... » et Zinkoff est le seul Titan à répondre « Bon match » à son tour.

Alors les Titans se dirigent vers leurs parents à l'extérieur du terrain, et, pour bien leur montrer quel genre de footballeurs ils sont, ils donnent des coups de pied supplémentaires dans le gazon, arrachent leurs genouillères et leur maillot, les jettent au sol et les piétinent. Un des Titans va jusqu'à tomber à genoux et hurler en écrasant sa tête sur le sol.

Zinkoff veut être un bon Titan. Il donne des coups de pied dans le gazon lui aussi. Ses parents en restent bouche bée en le voyant arracher son maillot, ses chaussures, jusqu'à ses chaussettes, et sauter dessus. Il tombe à genoux, arrache de l'herbe et la jette en l'air. il arrache la tétine de la bouche de Polly et l'envoie de toutes ses forces valser sur le terrain. Il donne des coups de poing dans la terre en criant « Non ! Non ! Non ! ».

Les autres parents et les autres joueurs commencent à le regarder.

La mère de Zinkoff lui demande :

– Qu'est-ce que tu fais au juste ?

Zinkoff, à genoux, lève les yeux vers elle :

– Ça me rend dingue d'avoir perdu.

Polly hurle à tue-tête.

– Eh bien, tu peux te préparer à être plus dingue encore car cette petite démonstration va te priver d'argent de poche pour une semaine. Et tu disposes de cinq secondes pour rapporter cette tétine.

Zinkoff est bien déterminé à devenir meilleur perdant. Les semaines qui suivent le match, il s'entraîne à perdre dans le jardin. Mais il n'a jamais l'occasion de montrer ses progrès le samedi, puisque les Titans gagnent tous les autres matches.

Mais pas du tout grâce à Pied Sauvage.

Une fois, sans savoir comment ni pourquoi, il se retrouve avec la balle entre les pieds et toute la surface du terrain devant lui. Propulsé par les sifflets et les hurlements excités derrière lui, Pied Sauvage tape le ballon encore et encore, sans jamais se rendre compte qu'il a depuis longtemps franchi les limites du terrain. Il en traverse deux autres et finit par s'arrêter sur le parking.

Une autre fois, il vomit sur le ballon, ce qui ne manque pas de faire vomir à leur tour deux autres joueurs.

C'est à la suite de cet incident que plusieurs membres des Titans demandent à l'entraîneur si Zinkoff ne peut pas changer d'équipe.

Mais bientôt, ils se réjouissent que ça n'ait pas été possible :

Le dernier match de la saison oppose les Titans aux Frelons. Les Frelons, eux aussi, n'ont perdu qu'un seul match. Les gagnants seront champions de la saison.

Le match se déroule sans surprise pour Pied Sauvage. Il court beaucoup et dans tous les sens, remue beaucoup des pieds mais entre très rarement en contact avec la balle. Parfois il perd l'équilibre à force d'essayer de suivre ce qui tourbillonne autour de lui.

À l'approche de la fin de la seconde mi-temps, le score est toujours de zéro à zéro. Zinkoff est devant les buts des Frelons et se demande où peut bien être le ballon, quand il lui frappe violemment la tête, rebondit et atterrit dans les buts. Zinkoff est alors instantanément assailli par ses coéquipiers reconnaissants. Le score final est de un pour les Titans, et zéro pour les Frelons.

Les Titans sont les champions !

Ils sont fous de joie, sautent comme des kangourous, se jettent sur le dos et pédalent en l'air. Brandissant leurs doigts vers le ciel, ils chevauchent les épaules de leurs parents en criant « On est les champions ! ».

Zinkoff est fou lui aussi. Il essaie de tenir sur la tête. Il crie à Polly « On est les champions ! », ce qui a pour seul effet de la faire cligner des yeux. Il grimpe sur les épaules de son père et annonce au monde entier : « On est les champions ! »

Il regarde alors en bas et voit la tête de son voisin Andrew Orwell. Andrew est un Frelon. Zinkoff n'a jamais vu un visage aussi triste de toute sa vie.

Ça lui fait penser à une tête de singe. Il voit alors tous les autres Frelons dans leur maillot noir et jaune. Ils sont affalés sur l'herbe ou sur les genoux de leurs parents. Pas un d'entre eux sur leurs épaules. Ils ressemblent tous à des singes pleurant et effondrés.

Puis vient la remise des trophées. Chaque Titan reçoit le sien. Zinkoff n'a jamais gagné de trophée. Celui-ci est un joueur de foot doré sur un petit piédestal avec un ballon doré à ses pieds. Il brille comme si on l'avait recouvert des rayons même du soleil. C'est la plus belle chose qu'il ait jamais vue.

Zinkoff voit les autres Titans embrasser leur trophée, alors il embrasse le sien à son tour. C'est alors qu'il voit les Frelons se traîner vers le parking.

Il se met tout à coup à courir et à crier :

– Andrew ! Andrew !

Sur le parking, Cherise et Andrew se retournent. Il court vers eux à bout de souffle.

– Tiens, Andrew, dit-il en lui tendant son trophée. Le regard d'Andrew lui confirme qu'il a fait ce qu'il fallait faire. Prends-le.

Andrew s'apprête à le saisir, mais sa mère lui attrape le poignet.

– C'est très gentil de ta part, Donald, mais c'est toi qui as gagné et toi seul. Andrew gagnera son trophée lui-même, un autre jour.

Les doigts d'Andrew sont recourbés comme des pinces. Ils sont à quelques centimètres du trophée.

– Je le *veux* ! hurle-t-il quand sa mère le conduit à la voiture.

Cet après-midi là, Zinkoff s'assoit sur les marches de derrière. Le trophée est posé à côté de lui, plus brillant que jamais. Zinkoff joue à un jeu qu'il a inventé et qui s'appelle les Insectes sur le Bâton. Dans le jardin d'à côté, Andrew est assis en tailleur à côté d'un massif de pensées pourpre. Il balance son menton entre ses mains. Son visage est toujours aussi triste.

Zinkoff l'appelle :

– Tu veux jouer à mon jeu ?

Andrew remue la tête.

– Tu veux qu'on aille dans l'allée ?

Andrew remue la tête.

Zinkoff pose encore plusieurs questions mais Andrew ne fait que remuer sa tête comme un singe.

Au bout d'un moment, Zinkoff en a marre de ce jeu. Il regarde Andrew. Il ne voit pas ce qu'il pourrait proposer d'autre. Maintenant, Zinkoff est triste lui aussi. Pas seulement parce qu'Andrew est triste, mais pour une autre raison : la saison de football est terminée. Et c'est ça qui a été le mieux : jouer aux matchs. Il aimerait bien se sentir moins triste.

Il attrape son trophée et rentre. Une minute plus tard, il repose le trophée sur les marches et rentre de nouveau.

Quand il revient plus tard dans la journée, le trophée a disparu.

10
Un désastre

L'année de CE1 n'est pas commencée depuis plus d'une minute que Zinkoff la démarre du mauvais pied avec sa nouvelle maîtresse.

Il lui demande combien de jours d'école il reste. Pas seulement pour cette année mais pour toutes les onze années. La maîtresse, qui s'appelle madame Biswell, se dit que c'est la question la plus contrariante et la plus insolente qu'elle ait jamais entendue. Elle arrive toute prête et pimpante pour le premier jour, et se retrouve avec ce gamin au premier rang qui ne pense qu'à la fin du lycée. C'est insultant et irrespectueux. Elle a plus que jamais envie de répondre « C'est une question idiote », mais au lieu de ça elle dit :

– Ne t'inquiète pas, tu sortiras bien assez tôt de l'école.

Zinkoff n'avait pas l'intention de s'en inquiéter et il n'a absolument aucune envie de quitter l'école ; il veut juste l'entendre prononcer un chiffre énorme dans les mille, pour pouvoir se dire que l'école ne finira jamais. Il pensait que toutes les maîtresses commençaient l'année comme mademoiselle Meeks, mais il comprend maintenant qu'il s'est trompé.

Entre temps, il se retrouve au dernier rang – à Perpète Au Fond de la Classe – étant donné que madame Biswell installe les élèves en fonction de l'initiale de leur nom de famille.

Sa deuxième erreur, c'est de rire. Ça aurait pu bien se passer, mais Zinkoff étant Zinkoff, il ne s'arrête jamais de rire. Et quand il s'arrête, il se passe très peu de temps avant qu'il ne recommence.

Zinkoff est quelqu'un qui rit tout le temps, et c'est en partie de sa faute car il ne se contente pas seulement de rire des choses drôles, mais aussi des choses qui le rendent heureux. Parfois même, certaines choses désagréables le font rire. Il rit aussi naturellement qu'il respire.

Un jour dans la cour, un CE2 exaspéré par le rire de Zinkoff l'attrape par le poignet et lui coince le bras dans le dos. Plus il lève le bras vers l'omoplate, plus Zinkoff rigole, même au milieu de ses propres larmes. Le CE2 finit par avoir peur et abandonne.

Évidemment, les camarades de classe de Zinkoff savent très bien ce qui le fait rire, et, dès qu'ils ont envie d'une petite distraction, ils attirent son attention, lui tirent la langue ou font semblant de se curer le nez et d'envoyer leur crotte de nez en l'air. Pour la moitié de la classe le divertissement n'est pas tant de voir Zinkoff rire que de le voir s'attirer des ennuis.

Madame Biswell n'aime pas les enfants. Même si elle ne le dit jamais, tout le monde le sait. Tout le monde se demande pourquoi quelqu'un qui aime si peu les enfants a décidé de devenir maîtresse. Au fur et à mesure des années, madame Biswell a elle-même commencé à se le demander. Une fois par an, elle demande à haute voix pourquoi elle est devenue enseignante, mais personne, ni son mari ni ses trois chats, ne lui répond.

Il est communément admis que madame Biswell ne sourit jamais. À vrai dire, ce n'est pas tout à fait exact. Madame Biswell sourit à peu près cinq ou six fois par an, mais son visage a tellement l'air d'un renfrognement permanent ciselé dans la pierre, que son sourire ressemble plus à une variation du renfrognement qu'à autre chose.

Il est donc impossible de deviner à son visage si madame Biswell est fâchée ou non. Ce sont ses mains qui disent tout. La colère transforme ses doigts en crochets et elle agrafe ses deux mains l'une à l'autre. Au fur et à mesure que la colère monte, elle frotte ses mains noueuses comme si elle les lavait avec un savon granuleux.

Rien n'énerve plus madame Biswell que le dilettantisme. Elle a connu un certain nombre d'élèves dilettantes, mais Zinkoff est une catégorie à lui tout seul. Surtout quand il tient un stylo. Ses chiffres sont calamiteux. Ses « 5 » ressemblent à des « 8 », ses « 8 » à des « 0 », ses « 4 » à des « 7 ».

Il n'y a, heureusement, que dix chiffres. L'alphabet lui offre vingt-six occasions de massacre. Quant à lui apprendre à écrire en attaché, autant apprendre à un cornichon à écrire. Ses « o » ressemblent à des grains de raisin, ses « i » sont des piments qui auraient bu, ses « q » sont des « g » et ses « g » des « q ».

Et les lignes ! Ce garçon ne s'est jamais trouvé face à une ligne bleue sans la rater. Au-dessus de la ligne, en dessous, à la perpendiculaire, ses lettres grouillent dans tous les sens comme des fourmis sur un trottoir.

La maîtresse demande à un volontaire d'aider Zinkoff et Andrew Orwell se porte volontaire. Une demi-heure par jour, il s'assoit à côté de Zinkoff et lui montre comment réussir ses lettres et ses chiffres. Au bout d'une semaine, le résultat est pire que jamais. Andrew est viré de son poste.

Après deux mois de la pire calligraphie qui soit, la maîtresse se tord les mains et hurle vers le fond de la classe :

– Ton écriture est un désastre !

Zinkoff balance la tête, ne connaissant pas le sens de ce mot.

– Merci ! répond-il.

– Mon écriture est un désastre ! annonce-t-il à ses parents ce soir-là au dîner. Son père en voyant à quel point son fils est fier lui répond :

– Toutes mes félicitations.

Sa mère lui remet une étoile.

Quel que soit le bout par lequel elle le prend, madame Biswell se dit que ce garçon est une calamité. Elle frissonne à l'idée de ce qui pourrait se passer s'il avait un livre de coloriage entre les mains. Il se comporte même très bizarrement avec son propre corps – ce qui n'est pas rare chez un CE1, mais celui-ci remporte la palme. Rares sont les jours où il ne s'écrase pas la tête la première au sol sans raison apparente.

Quand il ne rit pas, il frappe ses mains en l'air. Il pose des questions sans arrêt, il se tient toujours prêt à donner sa réponse qui est d'ailleurs fausse quatre fois sur cinq. Plus il se trompe, plus il a envie de répondre aux suivantes. Et pour mieux se faire remarquer du fond de la classe où l'alphabet l'a relégué, il s'affale régulièrement sur sa table, tendant un bras en l'air et poussant à haute voix un grognement, comme le ferait un joueur de base-ball.

Pour madame Biswell, il est tout à fait impensable qu'un élève aussi médiocre puisse aimer l'école, aussi en conclut-elle que ses singeries et ses enthousiasmes insolents ne sont que des stratagèmes pour l'embêter.

Elle pourrait l'excuser – excuser sa négligence, sa maladresse, ses fous rires interminables, la gêne qu'il représente, c'est-à-dire l'excuser d'être un enfant – si au moins il possédait la seule chose pour laquelle elle ait une faiblesse : l'intelligence.

L'intelligence est la seule chose qui rende madame Biswell heureuse. Quand elle était elle-même en CM1, elle fut première dans toutes les matières et gagna un prix, lors de la Fête des sciences de l'école, au second trimestre. Depuis, elle tient en plus haute considération la réussite scolaire. Durant toutes ses années d'enseignement, seulement neuf des élèves qu'elle a connus mériteraient selon elle le qualificatif « brillants ».

Zinkoff n'en fait pas partie. Interros, contrôles, exposés : il n'a jamais récolté un seul A, et seulement un ou deux B. Il pourrait peut-être écoper de plus de C si elle parvenait à déchiffrer ce qu'il écrit. La plupart du temps, elle agite les mains et lui colle un D.

Ainsi, par tous ces aspects, Zinkoff use la patience de madame Biswell. Il est le tableau vert contre lequel s'épuise sa craie, et dès le mois de décembre, il ne reste plus de celle-ci qu'un misérable petit morceau.

Jusqu'au jour où Zinkoff casse la brosse à effacer le tableau.

Madame Biswell aime sa brosse à tableau depuis très longtemps. C'est autre chose que les brosses à tableau médiocres et bon marché fournies par les écoles. Son feutre profond et ferme absorbe la poussière de craie comme une éponge. C'est la Rolls Royce des brosses à tableau. Elle l'a achetée elle-même, avec son argent, il y a dix ans. Et elle espère bien en faire dix de plus avec. Elle la rapporte chaque vendredi chez elle et la frappe sur le dos du barbecue en pierre de taille du jardin. Elle est la seule à avoir le droit d'y toucher. Personne, sauf elle, n'a le droit de toucher au tableau ni à la craie.

Un jour qu'elle revient un peu en retard de déjeuner, elle trouve Zinkoff en train d'écrire au tableau. Un gloussement collectif se fait entendre dans la classe. Zinkoff la regarde avec un grand sourire et continue d'écrire.

– Arrête ! piaille-t-elle.

Il arrête et la regarde avec des yeux ronds comme des billes. Alors, prenant de vitesse les pensées de madame Biswell, il attrape la brosse et commence à effacer le tableau.

– Arrête ! Arrête ! Arrête ! hurle-t-elle.

Les mots frappent Zinkoff comme si un ours lui collait une baffe, son corps tressaute dans tous les sens, il lâche la brosse et vomit dessus.

– Va-t'en ! Va-t'en ! Va-t'en ! se met-elle à hurler en désignant sur le pas de la porte la direction du couloir. Sors de ma classe et n'y reviens plus jamais !

Zinkoff sort et déambule, hébété, le long du couloir. Il sursaute une dernière fois quand la porte claque derrière lui puis il marche jusqu'à l'autre porte, au bout du couloir. Il l'ouvre, sort et continue à marcher. Il marche et marche encore, il sent dans son dos le doigt pointé de madame Biswell.

Jusqu'à ce qu'il se retrouve chez lui. Sa mère le regarde d'un air paniqué. Elle lui demande ce qu'il a fait de sa parka. Elle lui fait remarquer qu'il tremble.

Madame Biswell explique au directeur qu'il s'agit d'une erreur. Elle montrait de son doigt le bureau du directeur, dit-elle, c'est là qu'elle voulait l'envoyer. Il répond à cela qu'aucun enseignant, erreur ou pas, ne peut bannir un élève de l'école. Madame Biswell dit qu'elle a tout bonnement perdu son sang-froid, comme l'aurait fait n'importe qui s'il avait eu à faire à *cet élève-là*. Le directeur répond qu'un enseignant n'est pas n'importe qui et il continue de la semoncer dans son bureau.

Quand madame Zinkoff appelle le directeur pour savoir s'il est vrai qu'on a demandé à son fils de ne plus jamais revenir à l'école, il rit et lui dit qu'il s'agit bien évidemment d'une erreur et qu'il sera plus que bienvenu dès son retour. Le lendemain, Zinkoff se présente à l'école avant le concierge.

Durant tout le reste de l'année, madame Biswell se tord les mains et passe au peigne fin tous les magasins et les catalogues de vente pour retrouver la Rolls Royce des brosses à tableau. Elle offre à Zinkoff, de ses propres deniers, un seau de plage jaune. Elle lui dit qu'il ne doit jamais se déplacer dans sa classe sans ce seau. Zinkoff ne vomit jamais dans le seau jaune, mais il s'en sert pour trimbaler avec lui sa collection de Pierres Remarquables et de morceaux de verres colorés.

11
Facteur

Au printemps, madame Biswell est certaine que Zinkoff sera absent au moins une fois : lors de la journée du « Toi Aussi Va Au Travail Avec Tes Parents ». Il répète sans cesse que son père est facteur et qu'un jour lui aussi sera facteur. Il aura sans doute très envie d'accompagner son père au travail lors de cette journée.

La maîtresse a à la fois tort et raison. Zinkoff tient absolument à rater l'école pour Lui Aussi Aller Au Travail Avec Ses Parents, mais les services de poste n'autorisent pas les employés à emmener leurs enfants avec eux pour leur tournée. Ils disent que c'est trop dangereux et, de toute façon, la Jeep postale n'a qu'une place assise.

Depuis des années, Zinkoff supplie son père pour avoir le droit de l'accompagner. Aujourd'hui, l'idée de voir les autres enfants partir au travail avec leurs parents et de ne pas y aller lui-même lui semble insurmontablement triste. Il harcèle son père tous les jours.

– Je ne peux pas, lui répond celui-ci. Ils me renverraient. Tu veux que je me fasse renvoyer ?

Le jeune garçon ne peut que remuer la tête en faisant la moue. Et recommencer à le harceler.

Pendant des jours et des jours.

Enfin, monsieur Z. a une idée.

– Bon, bon, dit-il, je ne peux pas t'emmener au travail officiellement, je ne peux pas te prendre avec moi toute la journée et je n'ai pas le droit de te faire monter dans la Jeep. Alors voilà ce qu'on va faire...

Après avoir écouté le plan de son père, Zinkoff se précipite dehors pour tout raconter à Andrew.

– Je vais avoir ma journée à moi : la journée « Toi Aussi, Zinkoff, Va Au Travail Avec Ton Père ». Et ce sera dimanche. C'est possible et mon père ne sera même pas renvoyé.

– Mais moi, je vais faire la vraie journée « Toi Aussi Va Au Travail Avec Tes Parents », répond Andrew.

– Mon père est facteur, ajoute Zinkoff. Je vais distribuer le courrier.

– Mon père est banquier, précise Andrew.

Ils sont dans le jardin d'Andrew et celui-ci envoie frapper contre le mur une balle de ping-pong avec une pelle à gâteau de sa mère. Il a emprunté la balle de ping-pong à Zinkoff il y a des semaines.

– Je vais gagner de l'argent.

– Je vais monter à bord de Vieille Casserole.

– Je vais aller au travail en train. Jusqu'à la ville.

– Je vais porter le sac de courrier de mon père. Il dit que c'est très lourd mais je vais le porter quand même.

Andrew tourne la tête et frappe la balle aussi fort et aussi haut que possible. Elle vole sur le toit de Zinkoff et atterrit dans la gouttière.

– Je vais m'asseoir dans le fauteuil de mon père. Il a dit que je pourrai même m'asseoir dans celui du vice-président.

Zinkoff fixe intensément la gouttière. C'était sa seule et unique balle de ping-pong.

– Je vais déjeuner avec mon père. On mangera carrément à bord de Vieille Casserole.

– On mangera dans un restaurant. Des fois, le maire mange là-bas. Mon père dit que dès qu'il aura une augmentation, on se barre d'ici. Il dit qu'on ne reviendra jamais dans ce trou pourri.

Zinkoff regarde tout autour de lui et ne voit pas de trou pourri. Il se demande de quel trou pourri le père d'Andrew parle. Les rayons du soleil l'empêchent de voir la gouttière.

Quand arrive officiellement le jour du «Toi Aussi Va Au Travail Avec Tes Parents», Zinkoff regarde Andrew s'en aller en ville avec son père. Andrew porte un costume et une cravate. On dirait un petit banquier.

Deux jours plus tard, dimanche, c'est la journée «Toi Aussi, Zinkoff, Va Au Travail Avec Tes Parents». Pour s'y préparer, le père de Zinkoff lui a apporté un gros tas d'enveloppes et de feuilles de papier. Étant donné qu'il n'y a pas de courrier officiel à distribuer le dimanche, Zinkoff va devoir fabriquer son propre courrier. Il écrit des lettres. Quarante, cinquante, soixante lettres et plus. Il écrit les mots qu'il imagine que les gens écrivent dans les lettres. Il a vraiment l'impression d'être grand car, sur le papier, il n'y a pas de lignes. Il plie les lettres et les met dans les enveloppes. Il dessine des timbres au crayon dans l'angle droit supérieur et range toutes les lettre terminées – plus d'une centaine ! – dans le sac de la poste.

La famille Zinkoff va à l'église de bonne heure ce dimanche. Deux minutes après leur arrivée à la maison, le nouveau facteur de la ville est prêt. Il attrape dans le réfrigérateur les repas à emporter, emballés la veille dans deux sacs papier marron. Il laisse son père les porter. Lui, il se harnache du gros sac en cuir qui lui descend jusqu'aux talons, il traverse la salle à manger en le traînant, puis jusqu'à la porte, en bas des marches et, enfin, jusqu'à Vieille Casserole. Il finit par s'installer dans la voiture avec le sac dans son dos.

Monsieur Zinkoff a bien l'intention de tout faire pour que cette journée réponde aux attentes de son fils. Il sait que Donald espère bien rouler pendant un bon moment, il conduit donc aux alentours pendant quinze minutes avant de se garer sur le parking vide d'un dentiste à trois pâtés de maisons de chez eux, dans la rue du Saule.

Donald bondit hors de la voiture et s'apprête à partir mais son père le rattrape: «Par ici, mon bonhomme.»

Il a quelques consignes à donner à son fils:

- Commence par le dentiste. Une lettre par maison. Pas de coup d'œil par la fente du courrier. Comporte-toi en professionnel.

– Qu'est-ce que ça veut dire : « Comporte-toi en professionnel ? »

– Ça veut dire que tu dois te comporter comme un adulte qui fait son travail. C'est pour ça que tu es payé.

Le garçon reste bouche bée face à son père.

– Je serai payé ?

– Bien sûr. À la fin de ta journée. Cinq dollars.

– Cinq dollars !

Donald essaie de sauter en l'air de joie mais le poids du sac le retient au sol.

– Et une dernière chose, ajoute son père. Une chose sans laquelle on ne peut pas être un vrai facteur.

Il tend le bras vers le siège arrière et en ressort une casquette. Ce n'est pas une simple casquette. C'est sa propre casquette de facteur. Sa casquette moelleuse comme de la paille et bleue comme le bleu de la poste, celle qu'il porte quand il fait très chaud avec son bermuda de travail officiel.

Donald explose de fierté. Il met sa casquette. Évidemment, elle est trop grande pour lui, lui descend sur le nez et les oreilles, mais c'est le cadet absolu de ses soucis. Il ajuste la casquette du mieux qu'il peut et se dirige en chancelant vers la porte du dentiste, le sac butant sur ses talons et la casquette dansant sur sa tête.

Il s'arrête, se retourne et crie :

– Une *toute dernière* chose, papa.

– Quoi donc ?

– Le sourire. Les facteurs ont toujours le sourire.

– Exact. Et maintenant, au boulot !

La boîte aux lettres du dentiste se trouve à l'angle du parking. Donald fait valser le sac jusque devant lui pour pouvoir le fouiller, en extrait une lettre et la glisse dans la boîte. Il se tourne vers son père qui est dans la voiture, et lève ses mains en l'air, triomphant. « Ouais ! »

Plus que quatre-vingt-dix-neuf.

Il continue de descendre le pâté de maisons. Certaines habitations de la rue du Saule ont un porche. Tout le reste est composé de maisons de brique alignées comme la sienne. Certaines ont une boîte aux lettres accrochée au portail. D'autres ont une fente sur la porte d'entrée.

La première maison a une fente. Donald y glisse une lettre. Il attend d'entendre le bruit qu'elle fera en atterrissant sur le sol, mais rien ne vient. La fente est à hauteur d'yeux. Doucement, du bout des doigts, il pousse le battant de cuivre. Il enlève sa casquette et jette un œil par la fente et se hisse pour apercevoir la lettre sur le sol. Tout ce qu'il distingue, c'est un tapis vert. Il regarde un peu plus autour, espérant y trouver quelque chose d'intéressant, mais tout ce qu'il voit, c'est une salle à manger ordinaire avec des meubles et, au mur, un tableau représentant quatre bassets jouant aux cartes.

– On n'espionne pas! lui crie son père d'une voix qui couvre même les grognements de chat sauvage de Vieille Casserole IV qui roule au pas le long de la rue. Donald laisse retomber le battant de cuivre, remet sa casquette et poursuit sa tournée.

Très vite, il découvre une première chose: en général, c'est quand même plus amusant de déposer du courrier par la fente d'une porte que dans une boîte aux lettres. Avec une boîte aux lettres, les gens ne sont même pas au courant que vous venez de déposer du courrier. Alors qu'avec une fente, vous balancez la lettre directement à l'intérieur de leur maison et, parfois, ils sont juste de l'autre côté de la porte et on les entend.

– Maman! Maman! Y'a du courrier! entend-il derrière une des portes. Il s'arrête sur le seuil pour écouter.

– Il n'y a pas de courrier le dimanche, répond la voix grincheuse d'une mère.

– Mais si ! Il y a du courrier le dimanche ! Regarde !

Donald reprend sa marche en souriant. Il a l'impression d'être le Père Noël.

À une autre maison, alors qu'il s'apprête à pousser la lettre dans la fente, la porte s'ouvre. Il se retrouve face à face avec un enfant de deux ans ne portant absolument rien d'autre que ses couches et du chocolat lui barbouillant la bouche.

Ils s'observent l'un l'autre pendant un moment puis Donald dit, « Facteur », en tendant la lettre.

« Mronmpf », semble répondre l'enfant. Donald n'arrive pas à savoir si c'est un garçon ou une fille. Quoi que ce soit, ses joues sont pleines à craquer de nourriture et l'air est chargé d'une odeur de beurre de cacahuètes.

– Prends-la, dit Donald. Si ça se trouve, c'est une lettre pour toi.

L'enfant la prend de ses doigts pleins de chocolat. Puis, il ou elle se retourne brusquement, court et hurle « Mroooonmpf ! Mroooonmpf ! »

Donald referme la porte.

Quelques maisons plus loin, un garçon est assis

en haut du perron. Il a l'air d'être fâché contre quelqu'un. La boîte aux lettres est vissée dans le mur de brique juste au-dessous du numéro de la maison. Donald n'est pas très sûr de ce qu'il doit faire. Doit-il mettre la lettre dans la boîte ou la donner au garçon ? Et si le garçon n'habitait pas là ?

– Tu habites ici ? demande Donald.

Il ne reçoit pour toute réponse du garçon qu'un regard noir. Vieille Casserole IV ronchonne dans la rue.

Donald décide que le garçon habite probablement là. Puis il décide que la façon la plus professionnelle de se comporter est de mettre la lettre dans la boîte aux lettres, et c'est ce qu'il s'apprête à faire quand le garçon lui arrache la lettre des mains.

Il regarde l'enveloppe et grimace :

– C'est pas une lettre.

– Si, c'est bien une lettre, dit Donald, je distribue le courrier. Regarde. C'est le sac à courrier de mon père.

– C'est pas une *lettre*, répète le garçon. Sa bouche se tord de mépris quand il prononce le mot « lettre ». C'est pas un *timbre*. C'est *dessiné*. C'est pas une *adresse*. On peut même pas la *lire*.

Il ouvre l'enveloppe en la déchiquetant.

– Et ça, c'est pas une *écriture*. C'est du *gribouillage*.

Il déchire la lettre en deux et la remet dans le sac de cuir.

Donald sait qu'il doit distribuer le courrier même en cas de pluie, de grêle ou de neige, mais qu'en est-il des méchants garçons qui déchirent vos lettres en morceaux ?

Il se tourne vers Vieille Casserole IV. Son père lève le pouce bien haut puis pointe la prochaine maison du doigt.

Donald se souvient : garder le sourire.

Et il offre au garçon son plus grand sourire. « Ravi d'avoir fait ta connaissance », dit-il avant de reprendre la route.

Derrière plusieurs portes, il entend des chiens aboyer. Derrière une autre il entend une langue qu'il ne reconnaît pas. Il entend des bouts de mots et des gens, et, une fois, un dinosaure volant, exactement comme celui qu'il a vu au cinéma, mais bien sûr ça ne peut pas être ça.

Chaque fois, il essaie de glisser un œil par la fente, mais son père le rappelle : « On n'espionne pas ! » Il ne peut pas s'en empêcher.

Pendant une minute ou deux, il a une pensée bizarre. En fait, il n'arrive pas vraiment à *attraper* cette pensée. Son esprit essaie comme un chat essaie d'attraper une ombre. L'idée, s'il pouvait l'avoir, serait à peu près celle-ci : il se passe, derrière les portes d'entrée des maisons, des choses incroyables, impossibles, mais dès qu'on soulève le battant de cuivre, elles disparaissent toutes et tout ce qu'on voit c'est une banale salle à manger.

Quand il arrive à la dernière maison du deuxième pâté de maisons – soit soixante-six maisons et un dentiste – son père l'appelle :

– Pause déjeuner !

12
900 RUE DU SAULE

Son père gare Vieille Casserole IV, et ils s'assoient tous les deux à l'avant pour manger. Donald a beaucoup réfléchi à la question du déjeuner. Pour un jour ordinaire, il aurait mis dans un sac un sandwich beurre de cacahuètes-banane, un paquet de M&M's et du Yop à la fraise. Mais ce n'est pas le menu d'un facteur. Il s'est donc préparé un sandwich à la saucisse libanaise, au fromage, à la salade, aux chips goût pickles et à la moutarde. Pour le dessert, son choix s'est porté sur une pomme. Il voulait emporter du café dans la bouteille Thermos, mais sa mère n'a accepté que du thé glacé déthéiné.

C'est le meilleur repas qu'il ait jamais fait, assis dans Vieille Casserole IV avec son père, sa casquette pointue et son sac de courrier attendant sur la banquette arrière. Il verse du thé glacé dans le gobelet en plastique rouge et se dit que c'est du café.

Il mange la moitié de son sandwich, croque deux morceaux de pomme et avale une gorgée de thé glacé. Au moment où il ouvre la porte de la voiture, son père l'interrompt :

– Où tu va comme ça ?

– Je retourne travailler, répond Donald qui n'en peut plus d'attendre. Il est trop excité pour manger.

– Ferme cette porte et détends-toi, lui ordonne son père. On n'engloutit pas son repas comme ça avant de déguerpir. La pause déjeuner ne sert pas à s'alimenter. Tout travail nécessite une pause.

Donald referme la porte, se rassoit et croise les bras. Il regarde le plafond. Il siffle.

– Tu es en train de te détendre ? lui demande son père en riant.

– Ouais.

– Tu sais, il ne s'agit pas seulement de se détendre. On peut parler aussi, discuter un peu.

– De quoi on discute ?

– De tout ce qu'on veut.

Pas besoin pour Donald de réfléchir longtemps.

– Papa, dit-il, tu crois qu'il va neiger ?

– Un jour, sûrement, l'hiver prochain. Mais pas aujourd'hui. Pas par une belle journée d'avril tiède.

– Ah, répond Donald. Et de la pluie alors ?

– J'en n'ai pas l'impression, répond monsieur Zinkoff en regardant le ciel.

– De la grêle ? demande Donald plein d'espoir.

– Désolé.

Donald écrase son poing sur le siège et soupire de désespoir.

Pour Donald, une des plus belles choses dans le fait d'être facteur, c'est de devoir distribuer le courrier malgré la neige, la pluie, la grêle et, d'après ce qu'il en sait, même en cas de raz-de-marée ou de tornade. Pour tout dire, Donald a décidé de devenir facteur le jour où il a vu son père rentrer du travail avec des stalactites accrochées à ses cache-oreilles. Il a regardé son père s'ébrouer pour se débarrasser de toute cette neige et de toute cette glace, et il a dit : « Ouah ! Papa ! C'était dur ? » Il n'a jamais oublié la réponse. Son père a décroché une stalactite de son chapeau, l'a glissée dans sa bouche comme un cure-dent et a dit : « Nan. Pas d'problème. Les doigts dans le nez. » Depuis ce jour, quand il voit à travers la fenêtre de la salle de classe les éléments se déchaîner, il imagine son père luttant héroïquement dans le blizzard et répétant « les doigts dans les nez… les doigts dans le nez… »

La nuit précédente, c'est en priant de toutes ses

forces pour qu'un blizzard fasse rage le lendemain que Donald était allé se coucher. Lorsqu'il se réveilla et courut à la fenêtre, il se retrouva face à un splendide soleil. Il scruta le ciel et le sol à la recherche de signes de mauvais temps, mais ne trouva même pas la trace d'un grêlon perdu.

– Mais, tu sais, lui dit son père, il n'y pas que la météo…

– Ah bon ?

– Absolument. Il y a les morsures de chien et les chats sauvages. Il y a les peaux de banane sur lesquelles tu peux glisser. Il y a les tortues sur lesquelles tu peux trébucher et te casser le nez. Et puis, il y a les rhinocéros.

Donald n'en croit pas ses oreilles.

– Les rhinocéros ?

– Bien sûr. Qui te dit qu'un rhinocéros échappé du zoo n'est pas en train de pointer sa corne en direction de ton trajet du jour ? Tu connais une loi qui dit que ça ne peut pas arriver ?

Donald ne trouve pas une seule loi qui prétende le contraire.

– Je ne crois pas, répond-il.

– Tu vois, conclut son père en hochant la tête, nous vivons dans un monde dangereux. Un facteur doit se tenir prêt à affronter bien d'autres choses que la neige et la pluie.

Donald rayonne de joie. «Hourraaaaaaaa!» Il regarde par la fenêtre, soulagé de savoir que le monde n'est pas si sûr qu'il en a l'air.

– Est-ce que la pause déjeuner est finie, papa?

Monsieur Z. regarde sa montre.

– Presque. Il nous reste juste assez de temps pour parler de l'Homme Qui Attend.

Donald fixe son père des yeux.

– Hein?

– L'Homme Qui Attend, répète son père. Tu le verras au prochain pâté de maisons, le neuf-cent. Il est au numéro neuf cent vingt-quatre. On le voit à sa fenêtre derrière la boîte aux lettres.

Donald est très intrigué.

– Il attend le courrier?

– Non, il attend son frère. Il paraît qu'il l'attend depuis trente-deux ans. Son frère est parti combattre au Vietnam, il a été porté disparu et n'est jamais revenu.

Donald sent poindre une forme de tristesse.

– Qu'est ce que c'est «porté disparu»?

– Ça veut dire qu'on est pratiquement sûr qu'il est mort mais qu'on n'a pas retrouvé son corps.

– Et *toi*, papa, tu en es aussi pratiquement sûr ?

Son père regarde par la fenêtre. Il hoche lentement la tête.

– J'en suis pratiquement sûr.

– Mais l'Homme Qui Attend n'en est pas tout à fait sûr ?

– J'imagine que non.

Trente-deux *ans*. Donald n'arrive pas à imaginer. Donald ne peut pas attendre plus de trente-deux *secondes* pour quoi que ce soit. Bien sûr, un frère, ce n'est pas n'importe quoi. Trente-deux ans. Serait-il capable d'attendre un frère pendant si longtemps ? Pourrait-il attendre Polly si longtemps ?

Son père frappe dans ses mains.

– Allez ! Trêve de bla-bla. C'est l'heure de retourner bosser. En route ! Les gens attendent leur courrier !

Donald se précipite sur le siège arrière, enfile le sac, plante la casquette sur sa tête et saute sur le trottoir.

Il s'avère que ce jour-là, pas un seul rhinocéros ne traîne dans le coin. Ni de tortue. Pas même une peau de banane. Mais Donald aperçoit l'Homme Qui Attend. Un visage encadré par la fenêtre à côté des chiffres blancs encastrés dans la brique : 924. Il est en pyjama. Il a les cheveux épais autour des oreilles et tout fins sur le sommet du crâne. Il regarde vers le haut de la rue, par là où Donald est arrivé. Quand Donald atteint la dernière marche du perron, il est si près qu'il pourrait toucher la fenêtre, mais l'Homme Qui Attend ne détourne pas la tête, on dirait qu'il ne sait pas que Donald est là. Son regard est toujours posé au loin, sans un battement de cil, vers le haut de la rue.

Sans s'en apercevoir, Donald observe l'Homme Qui Attend pendant un long moment. Il décide de rester immobile, d'attendre ici le plus longtemps possible, plus qu'il n'a jamais attendu de toute sa vie.

Il est déjà à la maison suivante quand il se rend compte qu'il a oublié quelque chose. Il se précipite au 924 pour remettre sa lettre et l'Homme Qui Attend est toujours là.

Plusieurs maisons après, Donald entend quelqu'un derrière lui l'appeler :

– Facteur ! Hé ho, facteur !

Il se retourne et relève la tête pour voir au dessus de la visière de sa casquette pointue.

Une femme aux cheveux blancs dans une robe vert menthe se tient debout sous un porche en agitant sa lettre. Elle est appuyée à un déambulateur à quatre pieds en aluminium. Elle lui sourit.

– Merci, facteur ! dit-elle.

– De rien ! lui répond Donald qui reste en face d'elle et la salue.

Peu après, survient quelque chose que Donald n'attendait pas. Il cherche dans le sac mais, sous ses doigts, ne sent plus que le cuir. Il le retire, le pose sur le trottoir et en inspecte l'intérieur. Rien. Vide. Il a distribué ses cent lettres. Il s'est imaginé à de nombreuses reprises le début de la journée « Toi Aussi, Donald Zinkoff, Va Au Travail Avec Ton Père », mais jamais la fin.

Vieille Casserole IV gronde sur le trottoir.

– Ta journée de boulot est finie, lui dit son père en l'appelant. C'est l'heure de rentrer à la maison.

Donald traîne le sac vers la voiture à contrecœur. Il s'y installe, n'enlève pas sa casquette. Son père lui donne sa paie du jour qu'il empoche sans même y jeter un œil. Il pleure sur tout le trajet du retour.

13
Attendre

Le père d'Andrew a dû obtenir une promotion, car à l'entrée de Zinkoff en troisième année, Andrew est parti. Il a déménagé. Quelque part hors de la ville, dans un endroit appelé Heatherwood. Zinkoff a entendu dire qu'il avait maintenant une maison avec une grande entrée et un jardin avec un arbre.

Zinkoff traverse la pire période de ses huit ans au mois de novembre de sa troisième année. Il doit se faire opérer. Il va dans un hôpital, on l'endort et le docteur remet à l'endroit la valve qui était à l'envers sur son estomac. La bonne nouvelle, c'est qu'il ne vomit plus. La mauvaise, c'est qu'il doit manquer trois semaines d'école.

Il rend sa mère folle. «Mon Dieu, aidez-moi», toutes les dix minutes. Le deuxième jour après son retour de l'hôpital, il essaie de filer en douce vers l'école. Sa mère invente alors un système d'alarme qu'elle installe dans l'entrée. Chaque fois que son fils tente une évasion, l'alarme se déclenche. L'alarme s'appelle Polly.

Polly a maintenant dix-sept mois. Elle parle à peine, mais une des seules choses qu'elle sache dire c'est: « Au re-voir! ». Elle le prononce très distinctement – à vrai dire, elle le hurle – et le dit chaque fois qu'elle voit quelqu'un quitter la maison. Chaque matin, madame Zinkoff verrouille la porte de derrière. Puis elle installe Polly au milieu de son parc, juste à côté de la porte d'entrée. Elle n'a plus alors qu'à vaquer à ses occupations quotidiennes, prête à accourir dès qu'elle entend « Au re-voir! ».

C'est arrivé une seule fois. Madame Z. est arrivée juste à temps pour voir son fils prêt à franchir la porte et Polly hurlant un « Au re-voir! » du fin fond de ses poumons. Elle a aussi découvert un gâteau au chocolat à moitié mâchonné dans la main de Polly. De la pure corruption.

Une fois que Zinkoff a admis qu'il lui était impossible de s'échapper, il se met à réfléchir à une autre façon de passer son temps. Et l'heure est grave, car le temps pèse aussi lourd qu'un éléphant sur les épaules de Zinkoff. Il déteste attendre. Il déteste attendre plus que toute autre chose au monde. Pour Zinkoff, attendre signifie ceci : ne pas bouger. Il déteste attendre en rang. Il déteste attendre que la salle de bains se libère. Il déteste attendre une réponse, que les toasts sortent du grille-pain, que la baignoire se remplisse, que la soupe chauffe, que la soupe refroidisse, que les trajets en voiture s'arrêtent.

Par-dessus tout, il déteste dormir, c'est une malédiction pour la race humaine. Chaque nuit, il proteste avant d'aller se coucher, et tous les matins il se lève le plus tôt qu'il peut. Pour tout dire, Zinkoff ne dort jamais. C'est un peu comme s'il attendait toute la nuit jusqu'à ce qu'il soit l'heure de se lever. S'il y est obligé, il consent à aller se coucher mais pas à dormir.

Les membres de sa famille et d'autres personnes encore s'amusent beaucoup à ce nouveau jeu et lui demandent :

– Alors Donald, à quelle heure t'es-tu couché la nuit dernière ?

– À neuf heures.

– Et à quelle heure t'es-tu endormi ?

– Je ne me suis pas endormi.

– Tu veux dire que tu n'as pas dormi de la nuit ?

– Hé non.

Quand son oncle Stanley vient leur rendre visite, il éclate toujours de sa voix forte : « Ah ! Ah ! Voici notre Merveille Sans Sommeil ! »

Et puis, il y a toutes ces choses que l'on fait assis : regarder un film, lire un livre et passer des heures dans la salle de classe. Tout comme dormir, ces choses-là n'impliquent aucun mouvement – enfin presque. Tant que son intérêt le maintient éveillé, tant qu'il réfléchit, Zinkoff se sent bouger. Bien sûr, c'est impossible à déceler en le regardant, puisque ce qui bouge en lui est hors de votre vue, derrière ses yeux qui ne cillent pas. Son cerveau.

C'est ainsi que Zinkoff, à l'âge de huit ans, imagine l'intérieur de sa tête : quelque chose qui bouge, comme le coude ou le genou. Il s'imagine que lorsque quelque chose l'intéresse, quand il pense, son cerveau bouge, s'étire d'un côté et de l'autre, fait des mouvements dans tous les sens. Quand son cerveau s'arrête de bouger – c'est à dire quand il s'ennuie – la télé s'éteint, le livre se ferme et la maîtresse se tait.

Mais Zinkoff semble béni des dieux : il ne s'ennuie pas souvent.

Sauf, malheureusement, pendant ses trois semaines de convalescence. Chaque jour, il regarde par la fenêtre les enfants se diriger vers l'école élémentaire

John W. Satterfield. Car non seulement il n'a pas le droit d'aller à l'école, mais en plus, rien ne lui est autorisé de plus actif que de marcher dans la pièce. Son monde se réduit au canapé du salon. Il en a vite marre de la télévision et des livres. Marre des puzzles et des coloriages. Marre de sentir les points de suture de son opération. Minute après minute, jour interminable après interminable jour, il regarde par la fenêtre, et l'éléphant pèse de plus en plus lourd sur ses épaules, et il ressent la Longue Attente de l'Homme Qui Attend.

Il apprend à quel point une minute peut être douloureuse et insupportable une heure. S'il ne parvient pas à mettre de mots dessus, il comprend que le temps en soit n'est rien, rien que du vide, et que personne n'est fait pour le vide. Un jour, il suit des yeux trente-deux minutes s'écouler sur l'horloge, et se dit à lui-même en regardant par la fenêtre, «trente-deux ans». Il essaie de se projeter dans l'avenir trente-deux ans plus tard, comme une pierre qu'on lancerait, mais tout bascule dans une immensité de tristesse grise. Il sait qu'il ne s'agit pas de sa tristesse mais de celle de l'Homme Qui Attend. Elle s'étend partout, sur les tuiles du toit, dans la gouttière, dans les murs de briques et sur les allées, et cette tristesse et ce vide sont une seule et même chose et elles ne prendront fin que lorsqu'un soldat descendra la rue du Saule.

Zinkoff détourne son regard de la fenêtre. Il ressent un besoin urgent de jouer avec sa baby-sitter. Il joue avec elle pendant une heure ou deux, la fait rire, puis, étant donné qu'il ne peut pas aller à l'école, il décide que c'est l'école qui viendra à lui.

Il va se faire passer une épreuve.

14
Le Monstre de la Chaudière

Pour Zinkoff, il n'y pas une seule sorte de noir, mais tout un tas. Il y a le noir du placard, le noir sous le lit et le noir qu'il ne pourra jamais voir : celui qui est à l'intérieur des tiroirs. Quelle que soit la vitesse à laquelle il ouvre un tiroir pour attraper le noir, la lumière s'y glisse toujours plus vite. Il y a le noir du dehors et le noir du dedans.

Contrairement à beaucoup d'enfants, Zinkoff n'a pas peur du noir. Le noir du dehors ne l'effraie pas. Son père lui a expliqué que les étoiles étaient des soleils très très éloignés, et la pensée de tous ces soleils allumés la nuit procurent à Zinkoff un sentiment de quiétude et de tranquillité apaisante. À l'intérieur, c'est comme s'il portait son propre soleil – Zinkoff *est* une bouteille remplie de soleil – même dans le placard, quand il s'y cache de Polly, sans un brin de peur.

Mais il a cependant ce point commun avec tous les autres enfants : il a peur du noir de la cave. Pour être plus précis, ce n'est pas tant le noir qui lui fait peur dans la cave. C'est ce qui s'y tapit dans l'ombre : le Monstre de la Chaudière.

Comme la plupart des monstres de chaudière, celui de Zinkoff reste caché derrière la chaudière tant qu'il y a du monde autour. Mais c'est quand les gens s'en vont, quand la lumière s'éteint et que la porte en haut des escaliers se referme, c'est dans cette obscurité pure qu'il surgit de son antre.

Être dans la cave à ce moment précis est la pire chose que Zinkoff puisse imaginer. Voilà son épreuve.

Si Zinkoff n'avait pas eu à subir ces deux semaines d'ennui, l'idée ne lui serait peut-être jamais venue à l'esprit. Mais comme il s'ennuie l'idée lui est venue, et cela signifie pour Zinkoff qu'il doit la suivre jusqu'au bout.

Un jour que sa mère est au téléphone et que Polly fait la sieste, il ouvre la porte de la cuisine et se tient debout en haut de l'escalier qui mène à la cave. Il allume la lumière. La cave mal éclairée par une simple ampoule de quarante watts se présente devant lui. Il compte les marches. Il y en a neuf. Il a l'impression qu'il y en a neuf cents. Neuf cents marches descendant vers un trou noir sans fond. Les genoux tremblants, la main moite appuyée sur la rampe, l'autre posée à plat sur le mur, il descend une marche. Il respire vite, comme s'il venait de courir. Il s'assoit.

Il s'assoit longuement. Il pensait qu'il se sentirait mieux au bout d'un moment, mais ce n'est pas le cas. Il n'a pas envie de descendre d'un centimètre de plus. La seule chose dont il ait envie à ce moment précis, c'est de faire demi-tour, remonter la marche, éteindre la lumière, se retrouver dans la cuisine, fermer la porte et se serrer contre Polly. Il s'imagine en train de le faire…

… et se laisse glisser jusqu'à la marche suivante.

Il distingue alors un peu plus la cave : le sol en béton gris et froid, les murs qui furent un jour d'un blanc neuf et frais, aujourd'hui gris et zébrés de traces d'humidité, suintants et craquelés, les grosses planches usées de l'établi de son père. Zinkoff trouve incongrue la géométrie moderne de la chaudière à huile et du chauffe-eau au milieu de ces murs qui lui font plutôt penser à de vieilles ruines.

Il glisse jusqu'à l'autre marche… et croit, un instant, apercevoir un morceau de fourrure se dérobant à sa vue.

Il s'agrippe des deux mains au rebord de la marche. Il scrute l'obscurité de ses yeux ronds.

Le Monstre parle.

Zinkoff déguerpit. Remonte l'escalier, retrouve la lumière familière de la cuisine, sent les points de suture de son estomac le picoter. Il sait bien que ce n'était pas vraiment le Monstre. Que c'était en vérité le grondement de mise en marche de la chaudière. Il le sait, il le sait. Il se tient néanmoins éloigné de la porte de la cave.

Jusqu'au jour suivant.

Le lendemain, il franchit trois marches de plus. Il est vraiment dans la cave à présent, plus près du sol de ciment que du haut des escaliers. Il regarde derrière lui la lumière de la cuisine. Il se répète : « C'est rien qu'une cave. C'est rien qu'une cave. » Son cœur bat si fort qu'il va finir par sortir de sa poitrine. Ses points de suture le démangent. Il entend la voix de sa mère couverte par le ronronnement de la chaudière. Elle passe beaucoup de temps au téléphone ces jours-ci. Elle a trouvé un travail comme vendeuse à domicile. Elle vend des abonnements pour un club de gym par téléphone. Il chuchote en direction de la chaudière : « S'il te plaît, ne sors pas. »

Il y a un autre son : le tic-tac du minuteur de sa mère. Il l'a réglé sur cinq et l'a descendu avec lui. Il est posé sur la marche à ses côtés. Il résonne comme des cymbales. Il se dit que le minuteur est cassé au moment où ce dernier hurle telle une sirène de pompiers. Il glapit. Retour à la cuisine.

Le troisième jour, il ne prend pas le minuteur. Il descend marche après marche jusqu'à sentir sous ses pieds le sol glacial de la cave. Il commence à compter en chuchotant. Il restera jusqu'à cent. Il fait nettement plus frais ici. Au-dessus de lui, une vague lumière émane de l'ampoule de quarante watts, comme pour se moquer du soleil et des étoiles qu'il aime tant. Une tache de lumière éclabousse un angle éloigné de la chaudière. Il aura au moins tenu jusqu'à cent, puis il retourne dans la cuisine.

Il se convainc qu'il va mieux et se félicite de ce qu'il vient d'accomplir. Mais rien ne sert de se mentir à soi-même. Il n'oublie pas que l'épreuve n'est pas terminée.

Le lendemain, il retourne chez le docteur pour se faire enlever ses fils. Puis, c'est le week-end. Il reprend donc l'épreuve le lundi. Il refait ce qu'il a fait le premier jour ; il descend trois marches. Mais cette fois-ci, il y a une différence. Il n'allume pas la lumière. Cette fois-ci, la seule source de lumière provient de la porte en haut de l'escalier. Il commence à compter.

Comme il regrette la ridicule petite lumière de l'ampoule de quarante watts ! Il tend les mains devant lui. Il fixe le bout de ses doigts et s'y cramponne des yeux. Ses points de suture ne sont plus là, mais les cicatrices qu'ils ont laissées le picotent. Quand il arrive à cent, ses doigts auxquels ses yeux sont toujours rivés tremblent. Il regrimpe les escaliers.

Le jour suivant : six marches de descendues. Plus de la moitié. Les mains devant son visage à peine visibles. Il se rend compte qu'il compte trop vite, il ralentit. Compter jusqu'à cent lui paraît interminable.

Quand il atteint la dernière marche le jour d'après, la main tendue devant lui n'est plus qu'un fantôme pâle. On dirait que ce n'est pas la sienne. Il se force à regarder l'obscurité devant lui. Il invente une nouvelle façon de compter : « La lumière est juste derrière moi, cinq... La lumière est juste derrière moi, dix... La lumière est juste derrière moi, quinze... » Certains de ses chiffres sortent comme des rots. Il rote beaucoup depuis l'opération. À la fin, il hurle : « La lumière est juste derrière moi, cent ! » en remontant les escaliers plus vite que jamais.

Sa mère se précipite :

– Que s'est-il passé ?

– Rien, répond-il.

– Pourquoi as-tu hurlé ? Pourquoi est-ce que tu respires si fort ?

– Je respire fort ?

– Je crois que nous serons tous les deux très contents quand tu reprendras l'école, lui dit-elle en l'attrapant par le menton. Retourne dans le canapé.

Comme chaque jour, Zinkoff est le premier levé le matin suivant. Il est tellement nerveux qu'il rote encore plus que d'habitude. Il a du mal à faire descendre son petit déjeuner. Aussi dure qu'ait été l'épreuve du noir jusqu'à ce jour, le pire reste à venir. Il attend que son père parte au travail. Il attend que sa mère commence ses ventes par téléphone. Il jette un œil dans la salle à manger : l'Alarme est dans son parc et surveille la porte d'entrée.

Il reste un long moment assis dans la cuisine pour ressentir la lumière, s'en imprégner, l'absorber comme une éponge. Jamais auparavant il n'avait à ce point apprécié la simple lumière des choses ordinaires. L'éclat métallique le long des bords argentés du grille-pain. Le garçon hollandais joufflu sur la boîte à biscuits bleu et jaune. La paille rouge du gobelet de Polly.

Il jette un dernier regard tout autour de lui. Reverra-t-il ces choses un jour ?

Il sort de sa poche une chaussette qu'il a prise avec lui. Il la roule en boule et la met dans sa bouche. Il reste encore un peu assis.

Il révise son plan : trois marches le premier jour, trois autres le deuxième, en bas des marches le troisième.

Il finit par se lever de la chaise et, tel un condamné à mort, franchit les derniers sinistres pas le menant à la porte de la cave.

Il ouvre la porte. Il descend une marche. Il referme la porte derrière lui.

Et il se rend compte que sa peur s'est trompée d'ennemi.

Il s'attendait à l'obscurité, oui, une vraie obscurité noire – mais il s'agit d'autre chose. Il s'agit d'un noir si absolu, si affreusement pur, qu'il semble avoir lui-même disparu. Il tient sa main juste devant son visage et ne réussit pas – mais alors pas du tout – à la voir. Il cherche son autre avant-bras – le rate au premier essai –, pour se convaincre qu'il est bien entier et bien lui-même. Il malaxe son avant-bras en espérant qu'un peu de la lumière qu'il vient d'absorber va en sortir. Rien.

Il cherche à tâtons la surface douce de la porte peinte derrière lui. Ses doigts tremblants rencontrent la poignée. Tourne-la, lui murmure une voix à l'intérieur de son oreille, tourne-la et rebrousse chemin. Et c'est ce qu'il ordonne à sa main, tourne-la, mais sa main n'écoute pas, sa main est partie et c'est à présent tout son corps qui, contrairement à tous ses vœux et à tout bon sens, se baisse jusqu'à s'asseoir sur la première marche.

Il apprend alors une deuxième chose : il ne peut pas oublier le plan des trois jours. Il doit le faire en entier aujourd'hui.

C'est maintenant ou jamais.

Il descend d'une marche encore..., plus que sept..., encore une, plus que six..., encore une..., encore une..., son cri silencieux cherche une faille..., encore une..., encore une..., et le Monstre ne se cache plus derrière la chaudière maintenant, il le sait, il le sent. Le Monstre est devant la chaudière et se dirige vers les escaliers. Le Monstre est à quelques centimètres de son visage à présent, il est à portée de main et il peut le toucher, ou descendre d'une marche supplémentaire.

Sa cicatrice chante.

Il n'y pense pas, il le fait. À deux marches du bas de l'escalier, il fait demi-tour et remonte en courant.

Au milieu de la lumière étourdissante de la cuisine, il arrache la chaussette de sa bouche. Il reprend son souffle appuyé sur une chaise. Il repense aux deux marches en haut desquelles il s'est arrêté. Il a échoué. Recalé à sa propre épreuve. Il reste un certain temps à y songer. Il entend la voix de sa mère au téléphone à l'étage. Il écoute. Il rebrousse chemin et va jouer avec Polly.

Quatre jours plus tard, il retourne à l'école.

15
Révélé

En CM1, Zinkoff existe enfin.

Il a toujours été là, bien sûr, à l'école, dans le quartier, depuis dix ans. Il est déjà connu pour être ce gamin qui rigole trop et, jusqu'à son opération, celui qui vomit. En fait, Zinkoff ne fait rien de plus que ce qu'il a toujours fait des centaines de fois, mais les autres le voient.

Ce n'est, bien sûr, pas lui qui a changé, mais le regard que les autres portent sur lui.

Zinkoff va s'en apercevoir dès le premier jour d'école et le vérifier tout au long de l'année. Le maître d'école s'appelle monsieur Yalowitz. C'est la première fois que la classe a un maître et non une maîtresse. Monsieur Yalowitz se tient debout face à la classe, le tas de fiches pour l'appel à la main. Il regarde chacune d'entre elles avec soin, comme s'il voulait en mémoriser les noms. Puis il se met à mélanger les fiches et à les reclasser dans un autre ordre. Une fois terminé, il repose le tas. Il tire la carte du dessus. « Zinkoff », dit-il sans quitter la carte des yeux. « Donald Zinkoff. Où es-tu ? »

Zinkoff, maintenant habitué à son sort c'est à dire à Perpète Au Fond de la Classe, s'y rend déjà : dernière chaise, dans le coin tout au bout. Il sursaute.

– Ici, Monsieur ! répond-il.

Un grand sourire traverse alors le visage du maître. Il lève les yeux de la carte.

– Zinkoff... Zinkoff... Tu veux que je te dise une chose, Zinkoff?

– Oui, monsieur !

– Tu es le premier Z que j'ai jamais eu en classe. Ce n'est pas facile d'être un Z, n'est-ce pas Zzzzinkoff?

À vrai dire, Zinkoff n'y avait jamais vraiment réfléchi.

– Je ne sais pas, Monsieur.

– Eh bien non, ce n'est pas facile, crois-moi. J'étais un Y. Toujours sur la chaise du fond. Toujours le dernier dans la queue pour ceci ou pour cela. Maudit par l'alphabet. Qu'en penses-tu, Zinkoff?

Zinkoff ne sait pas quoi en penser et il le dit. Le reste de la classe est en pleine réflexion. *C'est donc ça la quatrième année?* Ils se demandent si cela vient du fait de passer dans l'année supérieure ou si c'est à cause de ce maître et de sa grosse voix d'homme, mais ils trouvent cela plutôt plaisant et se sentent satisfaits d'eux-mêmes.

Le maître pointe du doigt:

– Zinkoff, que dirais-tu de vivre l'expérience du premier rang?

Zinkoff n'en croit ni ses yeux ni ses oreilles.

D'une façon cérémonieuse, le maître lui fait signe du bras. «Allez, viens par ici, mon garçon!»

Zinkoff hurle «Hourra!» et se précipite devant.

Quand le maître a terminé, Zinkoff est assis sur la première chaise et Rachel Albano à Perpète Au-Fond de la Classe. Un W, un V et deux T ont rejoint Zinkoff au premier rang.

Grâce au maître monsieur Yalowitz, la première personne à découvrir Zinkoff, c'est Zinkoff lui-même. Contrairement à ses maîtresses de deuxième et troisième années, ce maître a l'air ravi d'avoir Zinkoff dans sa classe. Il n'arrête pas de dire des choses qui aident Zinkoff à se voir lui-même différemment. Par exemple, la première semaine, tous les matins quand

Zinkoff entre dans la classe, le maître déclare: «Et les Z seront les premiers!»

Un jour qu'il arrive au travail à sept heures et demi, le maître aperçoit Zinkoff, tout seul dans la cour, sur le toboggan. «Tu seras en avance à ton propre enterrement, mon garçon!», lui dit-il.

Comme ses professeurs précédents, monsieur Yalowitz remarque l'écriture atroce de Zinkoff.

– Maître Z, lui dit-il, chaque fois que tu poses ton stylo sur une feuille de papier, il se passe des choses... indescriptibles!

Contrairement aux autres professeurs, il dit cela en rigolant, et ajoute:

– Remercie Dieu d'avoir inventé les claviers d'ordinateur!

En ce qui concerne son tableau vert, monsieur Yalowiz est très méticuleux. Chaque vendredi à deux heures et demie précises, il nettoie son tableau. Pour cela, il garde dans le placard à matériel un seau et une éponge.

Un vendredi après-midi de novembre, monsieur Yalowitz est appelé hors de la classe. Il est deux heures et demie passées quand il revient. Zinkoff est sur l'estrade, perché sur une chaise, en train d'essayer d'atteindre la plus haute partie du tableau avec une éponge mouillée.

Monsieur Yalowitz étouffe un petit rire.

– Tu es un petit être indépendant, n'est-ce pas?

Zinkoff ne sait pas si la remarque de son professeur est un constat ou une question, d'ailleurs il ne comprend pas bien ce que cela veut dire. Mais il en aime les sonorités et décide que, quoi que cela soit, c'est quelque chose de positif. Il baisse les yeux vers son professeur et lui fait un grand sourire. «Oui, Monsieur!»

Le professeur s'installe confortablement pendant que son élève finit le travail. Quand Zinkoff retourne s'asseoir à sa place au premier rang, la classe applaudit. Certains sifflent même.

En plaçant Zinkoff au premier rang, en le distinguant par des remarques brillantes, monsieur Yalowitz précipite sans le vouloir une chose importante dans l'esprit des autres élèves: Zinkoff existe. Mais il se met aussi à exister à travers leurs *yeux*.

À la fin du CE2, la plupart des élèves ont tous perdu leurs dents de lait. Leurs dents définitives sont déjà en place dans leur bouche. Au début du CM1, quelque chose d'assez semblable se produit avec les yeux. Leurs yeux de bébés ne tombent pas et il n'existe pas de petite souris pour venir les chercher sous l'oreiller, mais, cependant, de nouveaux yeux prennent place. Des yeux de grands prennent la place d'yeux de petits.

Les yeux des petits sont des aspirateurs. Ils attrapent tout ce qu'ils voient et l'avalent en entier, sans se poser de questions.

Les yeux des grands font le tri. Ils remarquent aussi des choses dont les yeux des petits ne s'encombraient jamais : la façon dont un professeur se mouche, la façon dont un autre enfant s'habille ou prononce un mot.

À présent, vingt-sept camarades tournent leurs yeux de grands vers Zinkoff, et, soudain, ils voient des choses qu'ils n'avaient jamais vues auparavant. Zinkoff a toujours été maladroit mais maintenant ils le remarquent. Zinkoff a toujours été brouillon, désordonné, trop en avance, tordu de rire, lent, et, enfin, il a plus souvent qu'à son tour mal répondu en classe. Mais maintenant, ils le remarquent. Ils remarquent les étoiles sur ses chemises et sa coupe de cheveux abominable, sa démarche abominable et cette façon abominable de se porter volontaire pour tout. Ils remarquent tout cela. Même sa marque de naissance grosse comme une pièce de cinq centimes sur son cou, juste sous le lobe de son oreille gauche. Elle se trouve là depuis dix ans, mais à présent qu'ils l'ont remarqué, ils l'observent et demandent, « Qu'est-ce que c'est que *ça* ? »

Quand le maître leur rend leurs copies, ils se penchent par-dessus l'épaule de Zinkoff et voient qu'il n'a jamais de A. Quand le professeur de musique vient leur présenter différents instruments et fait passer des papiers pour s'inscrire au cours et dans l'orchestre, ils se penchent à nouveau et voient que ce crétin signe pour les huit instruments.

Ceux qui se retrouvent avec lui dans l'orchestre de l'école remarquent qu'on lui a attribué la « grosse caisse », comme l'appelle le professeur. Ils remarquent qu'à chaque fois qu'il donne un coup dans le tambour, il est toujours soit trois temps en avance soit trois temps en retard, ils se regardent alors les uns les autres de leurs yeux de grands qu'ils crispent et font rouler, ils froncent les sourcils devant le professeur d'un air de dire : Faites quelque chose.

Mais elle ne fait rien. Elle lui donne une flûte, l'instrument qui peut faire le moins de dégâts. Il continue de changer de cap, errant entre les clarinettes et les violons. Les enfants de l'orchestre le disent aux autres enfants, les autres enfants le disent à leurs parents et, ce printemps-là, lors du récital de l'orchestre de l'école, tout le monde dans l'assistance garde une oreille tendue vers le couinement perdu et solitaire de la flûte de Zinkoff.

C'est la première semaine de juin de cette année que Zinkoff est révélé aux yeux de tous. Tout se passe à la Fête du Printemps.

16
La Fête du Printemps

La Fête du Printemps est une tradition vieille de plusieurs années à l'école de Satterfield. Cela commence comme une journée d'amusement. Une journée pour fêter le printemps. Un cadeau en plein air pour les élèves.

Et la Fête du Printemps est toujours amusante pour les plus jeunes, les première, deuxième et troisième années. Mais pour les quatrième et cinquième années, les grands, il n'est pas tellement question de s'amuser, il est question de gagner ou de perdre.

Les petits s'amusent aux jeux qu'on a prévus spécialement pour eux : le rouler de pommes de terre, l'oreiller-coup-de-pied, le basket-boomerang et les auto-tamponneuses dans le noir. Pour les grands, ce sont des courses. Il y a dix sortes de courses, toutes sous forme de relais. Il y a la course en sac, la course à reculons, la course à cloche-pied, et la course à reculons sur les fesses. Les neuf premières courses sont comme ça : marrantes, inhabituelles. La dernière course, c'est une course simple. Pour les grands, pour les plus rapides d'entre eux, c'est la seule qui compte vraiment.

Chaque classe est divisée en quatre équipes, ce qui fait huit équipes par niveau. Chaque équipe porte une couleur. Les élèves ne sont en compétition qu'avec ceux de leur année.

Monsieur Yalowitz est l'entraîneur. Il a apporté de chez lui des morceaux de tissu de couleur : les bandeaux. Les couleurs pour sa classe sont le violet, le rouge, le vert et le jaune. Zinkoff est dans l'équipe des Violets.

Avant de sortir pour la Fête du Printemps, monsieur Yalowitz rassemble ses élèves autour de lui et dit, « Je vous soutiens tous. Les Rouges, les Verts, Les Violets et les Jaunes. Mais ceux que je n'aime pas du tout, ce sont ces minables de l'autre classe de CM1. » Les enfants rient. Il continue de leur expliquer qu'ils sont meilleurs que l'autre classe de CM1 qui sont tous des minables, y compris leur maîtresse madame Serota. « Alors, allons-y et foutons leur la raclée ! »

Ils se prennent la main et se ruent hors de la classe en hurlant le long de l'allée sous le soleil de mai.

L'équipe des Violets se compose de sept membres. Le meilleur athlète d'entre eux s'appelle Gary Hobin. Doté de longues jambes, Hobin n'est pas seulement le plus rapide de l'équipe des Violets, c'est aussi sans aucun doute le plus rapide de tous les CM1. C'est aussi plutôt le genre de garçon à prendre les commandes, et quand il dit « c'est moi qui commence toutes les courses », aucun Violet ne conteste.

– Personne ne court toutes les courses, corrige l'entraîneur Yalowitz en en entendant parler. Vous allez alterner pour que chacun d'entre vous ait sa chance.

Tout le monde a sa chance, mais Zinkoff a un peu moins sa chance que les autres. Il « court » en deuxième pour la course à reculons sur les fesses, ou, comme l'appellent les autres élèves, le tape-cul, et très vite, il se retrouve loin derrière les concurrents des sept autres équipes. Mais Yolanda Perry et Gary Hobin sont les deux derniers, et rapportent aux Violets une victoire réjouissante, à un cheveu près, si on peut dire.

Pour la course à cloche-pied, même l'incroyable sprint final de Hobin ne suffit pas pour rattraper le tour perdu par Zinkoff, à qui deux pieds ne suffisent pas pour marcher droit. Le spectacle d'un Zinkoff titubant, chancelant, zigzaguant et trébuchant arrache des éclats de rire et des moqueries de tous les côtés.

Malgré tout, les Violets sont devant toutes les autres équipes de CM1 lors de l'épreuve finale. Il leur suffit de ne pas arriver derniers à la grande course, et le championnat est gagné. Bien entendu, six des Violets ont bien l'intention de ne pas laisser Zinkoff courir. Et bien entendu, Gary Hobin courra le dernier relais, la partie la plus importante, la dernière ligne droite, et propulsera les Violets vers la gloire.

Mais l'entraîneur voit les choses différemment.

– Zinkoff courra le dernier relais, dit-il aux sept Violets réunis.

Tout le monde braque alors les yeux sur Zinkoff qui est en train de faire des bonds de lapin pour garder la forme.

Gary Hobin pousse un « Quoi ? » retentissant.

– Tu courras le troisième relais, lui dit l'entraîneur. Donne-lui une bonne avance.

Et il va s'occuper des Rouges, des Verts et des Jaunes.

Six Violets fixent Zinkoff des yeux. Gary Hobin serre le poing et le colle à quelques centimètres de Zinkoff :

– Je vais te donner la meilleure avance qu'on n'ait jamais vue. T'as pas intérêt à la perdre.

– Je ne la perdrai pas, répond Zinkoff, je garde toujours le meilleur pour la fin.

Ce qui n'est en fait pas vrai du tout, mais Zinkoff pense que si, et surtout que c'est la bonne phrase à dire dans de telles circonstances.

La grande course a lieu sur toute la longueur de la cour, au milieu de la poussière jaune et des herbes folles. Les premiers coureurs des huit équipes de CE1 s'alignent près du tableau d'affichage et démarrent dès que le directeur crie « Partez ! » Les deuxièmes coureurs s'accroupissent à l'autre bout, attendant que les premiers les touchent dans le dos.

Au premier relais, les Violets sont en seconde position. Quand le deuxième coureur atteint Hobin, ils ont cinq mètres d'avance. Hobin bondit du sol fait tournoyer la poussière comme une tornade jaune. Fidèle à sa promesse, Hobin donne à Zinkoff la plus belle avance de toute la journée. Quand il atteint Zinkoff, les autres coureurs ne sont qu'à mi-chemin du parcours. « Vas-y ! » hurle Hobin, et Zinkoff y va.

Les jambes de Zinkoff brassent la poussière. Ses bras tournoient comme le robot Mixtout de sa mère. Sous l'effort, son visage se tord en une grimace jaune. Et – d'une façon ou d'une autre – il ne va nulle part. Quand les autres coureurs du dernier relais démarrent, il est à peine à dix mètres de l'arrivée. « Cours ! Cours ! » hurle Hobin derrière lui. Incapable de se maîtriser, Hobin quitte sa place et court à côté de Zinkoff et lui crie dans les oreilles :

– Cours, espèce de tortue débile ! Cours !

Zinkoff court et court encore, le rabat de son bandeau s'agitant de haut en bas comme une queue de cheval violette, et il court longtemps après que tous les coureurs aient franchi la ligne d'arrivée. Zinkoff arrive dernier des derniers. Les Violets sont derniers. Les Violets perdent le championnat.

Ils retirent leur bandeau. Ils les jettent par terre et les piétinent dans la poussière jaune. Zinkoff est penché en avant, haletant après tant d'effort, cherchant son souffle. Hobin se dirige vers lui. Il balance de la poussière sur les baskets de Zinkoff. Zinkoff lève les yeux. Hobin ricane :

– T'es qu'un nul, un gros nul qui craint.

Les autres Violets s'amoncellent.

– Ouais. Tu te plantes dans *tout* ce que tu fais. Mais pourquoi est-ce que tu *fais* des trucs ?

– Ouais. Pourquoi tu te *lèves* de ton lit le matin ?

– Même là, je suis sûr qu'il se plante.

– On aurait pu gagner des *médailles* ! crie un des Violets en levant le poing.

Ils continuent. Certains chuchotent le mot. D'autres le disent à haute voix. Tout le monde le dit très distinctement.

« Nul. »

« Nul. »

« Nul. »

« Nul. »

« Nul. »

Il espère que ses parents ne vont pas le questionner sur la Fête du Printemps au dîner, mais si : ils demandent comment ça s'est passé.

– Comment ça s'est passé quoi ? questionne-t-il à son tour.

– La Fête du Printemps.

– Oh, bien, répond-il sans y donner d'importance.

Ne demandez pas qui a gagné, supplie-t-il intérieurement.

Et ils ne le font pas. Ils demandent : « C'était amusant ? » et « Quelle course as-tu préféré ? » et « Tu as dû transpirer, non ? »

Et il pense être tiré d'affaire lorsque Polly demande : « Tagagné ? »

– Non ! C'est compris ? lui hurle-t-il.

Tout le monde s'arrête de mâcher, regarde, et Zinkoff quitte la table en pleurant et en courant. Il espère à moitié que son père va le suivre dans sa chambre, mais il ne le fait pas. Au lieu de cela, il l'appelle : « Hey ! Tu veux aller faire un tour ? » Zinkoff réclame toujours d'aller faire un tour, et son père lui répond toujours non, à moins d'avoir à se rendre quelque part en particulier, sinon c'est du gaspillage d'essence.

Pas la peine de le demander deux fois à Zinkoff : il dévale les escaliers et s'installe sur le siège de Vieille Casserole IV. Son père et lui discutent un peu tous les deux, mais l'essentiel de la conversation se passe entre son père et le tableau de bord qui commence à montrer quelques signes de nervosité : « Doucement, petite voiture chérie, doucement... tout va bien se passer... je suis là. » En dehors de ça, ce n'est rien d'autre qu'une promenade sans destination, un gaspillage d'essence à gogo.

Cette nuit-là, Zinkoff ressent jusque dans son lit les soubresauts et les flottements de la vieille guimbarde, mais il comprend surtout de façon claire et certaine qu'il pourra perdre toutes les courses de sa vie, son père sera toujours à ses côtés. Qu'il s'agisse du déplantage de poireau ou du lancer de joint de culasse, son père aura toujours un rouleau de Scotch ou du chewing-gum pour le remettre sur pieds. Il sait qu'il aura beau faire tout le raffut et donner tous les coups qu'il voudra, il ne sera jamais aux yeux de son père dans la catégorie des vieilles casseroles, mais toujours des petites voitures chéries.

17
Ce que disent les pendules

L'école primaire de Satterfield s'arrête au CM2. Ce sont donc les élèves de CM2 qui font la loi. Quand les autres enfants vous regardent, ils voient quelqu'un de plus grand, de mieux. Vous en savez plus. Vous mangez plus. Vous dessinez mieux. Vous chantez mieux. Vous lancez plus loin et vous courez plus vite. Vous avez la tête au-dessus de la ligne. Vous buvez plus longtemps au robinet. Vous parlez et vous riez même plus fort.

Si vous avez survécu aux quatre années précédentes, le CM2 est votre récompense. Votre trophée. Cela passe par des détails à peine visibles. Par ce sentiment, même si personne n'en parle, de sentir que c'est vous le plus important au milieu des gamins des petites classes. Le CM2 est une année pendant laquelle il fait bon vivre.

Voilà tout ce que ressent Zinkoff en retournant à l'école, et il aime ça. Il aime être en CM2.

Mais il y a autre chose. Quelque chose qui avait commencé à prendre racine dans la poussière jaune de la cour et qui a gonflé doucement tout au long de l'été. Quelque chose qui n'a cessé de grossir et a fini par envahir toute l'école. Quelque chose qui fait partie de la panoplie des camarades de Zinkoff à la rentrée de septembre, au même titre que leurs nouveaux stylos et tout le reste de leur matériel de classe.

C'est un mot. Le mot. Le nouveau nom de Zinkoff. Il ne figure pourtant pas sur la liste des élèves.

On ne prononce pas son nouveau nom devant lui, mais, au contraire, très souvent dans son dos en ricanant ou en faisant semblant de tousser. Il surgit de-ci de-là. Zinkoff croit parfois entendre quelqu'un l'appeler, même s'il sait très bien que ce n'est pas son prénom. Dans ces cas-là, il ne se retourne pas.

Mais un jour, sans raison particulière, un jour qu'il entend ce mot, il se retourne. Personne ne le regarde et il se dit alors qu'il a dû se tromper. Pourtant les voix continuent, et Zinkoff se retourne de nouveau. Toujours rien ni personne qui le regarde ou lui parle. C'est comme si les voix sortaient des murs, des pendules et des lumières du plafond.

Nul.

Tous les élèves sont heureux d'avoir découvert l'existence de Zinkoff et de l'avoir rebaptisé ; c'est très pratique. Ils lui ont collé une étiquette, l'ont mis dans un sac et, maintenant, tout ce qu'il fait et dit peut être mis dedans à son tour. Son écriture brouillonne et ses dessins d'enfant. Sa malchance à la flûte, ses notes médiocres, sa maladresse, ses taches de naissance ; tout est maintenant vu sous l'angle de sa contre-performance de la Fête du Printemps. Tout ce qu'il fait est une nouvelle façon de démontrer qu'il ne sait que perdre. C'est comme s'il arrivait dernier de la course cent fois par jour.

Au début de l'année de CM2, Zinkoff est devenu trop grand pour un certain nombre de choses auxquelles il croyait : le Père Noël, les cloches de Pâques, la petite souris, les pattes de lapin qui portent bonheur, les dinosaures qui parlent, l'Homme Qui Habite Sur la Lune, les licornes, les gremlins, les dragons et les fissures sur le trottoir. Même s'il a encore une peur panique du noir, il ne croit plus au Monstre de la Chaudière. Il se débarrasse de ses croyances sans y penser. Ainsi allégé, il peut enfin se sentir grandir.

Il ne porte plus d'étoile de papier sur sa chemise, mais continue d'accepter toute forme de distinction et de félicitations. Il a remplacé son petit rire de bébé par un gros rire de garçon auquel il travaille dans sa chambre – pour le plus grand malheur de Polly qui croit à chaque fois qu'elle rate quelque chose de très drôle. Il ne hurle plus ses Hourraaaa ! (même s'il veut toujours devenir facteur et s'il récite toujours ses prières chaque soir). Il accepte de dormir.

Il a décidé qu'il était trop grand pour être si maladroit et essaie de ne plus l'être, mais cela ne marche pas. Il écrit toujours de façon aussi catastrophique, mais ce n'est que l'avis des autres après tout, pas le sien ; c'est pourquoi il n'est pas plus inquiet que cela.

Un samedi, alors qu'elle participe à un vide grenier, sa mère demande à Zinkoff si cela l'ennuierait qu'elle revende certains de ses vieux jouets, ceux avec lesquels Polly ne joue pas. « Pas de problème », lui répond-il. Elle ressort alors son vieux chapeau girafe. Acceptera-t-il qu'elle le vende ? Il regarde le chapeau. Tout râpé, tout décoloré. Il ne l'avait pas revu depuis des années. Qu'est ce qui lui a pris de se mettre un jour ce tuc débile sur la tête ? « Pas de problème », répète-t-il, et il se sent encore grandir d'un centimètre.

Il adore grandir, il adore sentir son corps prendre un peu plus de place dans le monde.

Maintenant, il a le droit de s'éloigner un peu plus de la maison. Il a un vélo, un vélo d'occasion racheté lors d'un vide grenier, avec des roulettes et une sonnette qui lui fait penser à la voiture de son père ; il le baptise alors Vieux Poêle I. Il adore ce vélo. Il a le droit de rouler avec dans toute la ville à condition de rester sur les trottoirs et de traverser les rues à pied. Parfois il obéit, parfois non.

Son coin préféré, c'est le bloc 900 de la rue du Saule, là où il avait joué les facteurs pendant la journée Toi Aussi Zinkoff Va Au Travail Avec Tes Parents quand il avait sept ans. L'Homme Qui Attend est toujours là, à sa fenêtre, les yeux fixés sur la rue devant lui, les cheveux un peu plus longs, jusqu'aux oreilles, et un peu plus clairsemés sur le sommet du crâne. Il y a une chose pour laquelle il n'est pas trop grand, c'est pour penser à l'Homme Qui Attend. De temps en temps, il gare son vélo et remonte la rue à pied pour qu'il ne puisse voir que lui. Pourtant, même quand il fait cela, l'Homme Qui Attend n'a pas l'air de le voir. Parfois, il reste juste sous sa fenêtre, en espérant qu'il tournera la tête vers lui, au moins ça. Mais cela n'arrive jamais.

La concentration de l'Homme Qui Attend est tellement puissante et sa patience tellement infinie, que Zinkoff s'attend parfois à voir surgir, un jour, ici sur le trottoir, ce frère disparu au front. À deux reprises, il imagine qu'un soldat se dirige vers lui, son fusil sur l'épaule. Plus le soldat tarde à apparaître, plus Zinkoff est malheureux pour son frère à la fenêtre. Il refuse de croire que le monde puisse ne pas récompenser un jour une telle attente et une telle volonté.

Une idée lui trotte dans la tête plusieurs jours durant. Il va s'habiller en tenue de camouflage, enfiler des bottes, trouver une vieille carabine, un vieux pistolet en plastique quelque part, et remonter la rue du Saule rien que pour offrir à cet homme quelques courts instants de joie. Mais il se rend compte que se serait cruel et abandonne l'idée.

Parfois, en remontant le bloc 900, il voit la dame dans son déambulateur sur son perron. Quand elle le voit, elle l'appelle «Facteur! Ouh-Ouh, Facteur!». Au bout d'un moment, il s'assure d'avoir toujours une lettre pour elle, un petit mot qui dise «Bonjour, comment allez-vous?» ou «J'espère que vous vous portez bien». Maintenant qu'il est grand, il sait écrire des vraies lettres.

Mais il y a du nouveau : une petite fille. Ses cheveux châtains sont en permanence attachés par un ruban jaune. Elle n'a apparemment appris à marcher que récemment car à chacun de ses pas elle fait une légère embardée et ses petits genoux tremblottent. De toute façon, elle ne peut pas aller bien loin ; elle est retenue par une laisse.

La laisse est longue comme une corde à linge. D'un bout, elle est accrochée par un mousqueton à un harnais que la petite fille porte comme un gilet. L'autre bout est tantôt accroché au portail, tantôt retenu par la main de sa mère, installée sur les marches du perron, avec un livre, quand il fait bon.

– Je n'ai jamais vu quelqu'un tenu en laisse, dit un jour Zinkoff, poussés, lui et son vélo, par la curiosité jusque sur le seuil. Il pense qu'il aurait détesté être tenu en laisse.

La mère lève les yeux de son livre et lui adresse un joli sourire.

– Moi non plus, répond-elle. J'ai été élevée dans une ferme et le seul souci de ma mère était de veiller à ce qu'une poule ne nous fonce pas dessus.

Zinkoff rigole.

– Et elle, est-ce qu'elle aime bien ça ?

La mère regarde sa fille.

– Je ne crois pas qu'elle aime spécialement ça ni que ça lui déplaise. Pas pour l'instant, en tout cas. En ce qui la concerne, sa vie est ainsi faite. D'abord on rampe, puis on est tenu en laisse. Si elle venait à se plaindre, alors je pense que nous en discuterions ensemble.

– Elle parle ? demande Zinkoff.

La mère rit.

– Environ trois mots. C'est pour ça que je gagne à chaque fois. Pour l'instant.

À chaque fois qu'elles sont installées devant leur maison, Zinkoff pose son vélo et vient les saluer. Il apprend ainsi que la petite fille s'appelle Claudia. Au bout d'un moment, Claudia commence à le reconnaître. Elle trottine dans sa direction jusqu'à la clôture, à la limite de sa laisse. Elle a l'air de quelqu'un qui donne beaucoup. Elle fouille en permanence dans le caniveau et en ressort quelque chose – un caillou, un chewing-gum jeté – et l'offre à Zinkoff. C'est toujours quelque chose de sale et sa mère la gronde tandis que Zinkoff, qui ne veut pas passer pour quelqu'un d'ingrat, remercie toujours très poliment Claudia et met le cadeau dans sa poche.

Les jours où il ne va pas 900 rue du Saule, Zinkoff se promène souvent du côté de Halftank Hill. Ce qu'il y a de mieux à Halftank Hill, qui se trouve au milieu du parc, c'est une pente d'herbe bien à pic qui semble ne dire qu'une chose : glissez-moi dessus ! Et c'est ce que font les enfants de tous les coins de la ville en toute saison. Ils glissent, ils dévalent, roulent, dégringolent, descendent en vélo, en tricycle, en rollers, en skate, en couvercle à poubelle.

Quand il était petit et qu'il faisait la course sur le trottoir avec les voitures, Zinkoff croyait être le garçon le plus rapide du monde. Maintenant qu'il sait que ce n'est pas le cas, il n'en est que plus attiré par Halftank Hill.

Parfois, il court, car c'est pour lui le seul moyen de ressentir, ne serait-ce qu'un court instant, une sensation aussi forte. Arrivé à la moitié de la pente, il sent qu'il perd tout contrôle : sa course va plus vite que ses jambes. Il a l'impression de décoller, de sortir de lui-même et de laisser son corps derrière lui.

Parfois, il descend à vélo. Il vise le bas de la descente avec son pneu avant et se lance, et rien ne peut, pendant ces quelques secondes, le persuader qu'il n'est pas le plus rapide du monde, et même s'il est trop grand pour hurler son « Hourraaaa ! », il hurle pourtant :

– Hourraaaa !

Et, à chaque fois, il découvre que personne ne peut être lent à Halftank Hill. Et il n'y a pas de chronomètre.

Parfois, toujours à vélo, il se promène sans destination précise. Parfois il n'a pas envie d'aller vite. Il a juste envie de se promener en vélo. Il traîne alors Vieux Poêle I dans les allées où seuls les chats et les gamins traînent, mais jamais les voitures ; un boulevard à vélo sur lequel il pédale encore et encore. Et cela lui suffit.

La vie de Zinkoff en CM2 est ainsi remplie de choses nouvelles et intéressantes qui le satisfont pleinement. Et, jusqu'au jour du vrai-faux contrôle, il n'éprouve pas cette sensation que quelque chose lui manque.

18
MEILLEUR AMI

Ce n'est pas un contrôle sur le travail effectué en classe. Ils n'ont rien eu à réviser. Aucun avertissement. Un jour, en CM2, madame Shankfelder, la maîtresse, fait simplement circuler des brochures à couverture bleue. Barry Peterson demande :

– C'est un contrôle ?

Elle répond que non, et elle prononce un mot compliqué pour désigner cela. Mais Zinkoff regarde sa brochure, remplie de questions et de petites cases à cocher. C'est un contrôle.

Tous les autres contrôles que Zinkoff a connus portaient sur des choses étudiées en classe : l'arithmétique, la géographie, l'orthographe. Celui-ci est sur lui-même. Que pense-t-il de ceci ? Pourquoi fait-il cela ? Préfère-t-il ceci ou cela ?

Petit à petit, Zinkoff se dit que c'est la première fois qu'il trouve un contrôle amusant. C'est une des choses qui le font sentir plus grand cette année. La plupart des réponses lui viennent presque naturellement. Jusqu'à ce qu'il cale sur une des questions de l'avant-dernière page :

« Qui est votre meilleur(e) ami(e) ? »

Contrairement aux autres, cette question-là n'est pas à choix multiple. Pas de petite case à cocher, rien qu'une ligne vierge qui attend un nom.

S'il avait dû répondre à ce contrôle en CE1, il aurait écrit le nom d'Andrew Orwell. Mais son voisin Andrew a déménagé depuis longtemps et aucun nom de remplacement ne lui vient à l'esprit.

Oh bien sûr, Zinkoff a des amis. Il y a Bucky Monastra avec qui il joue aux billes. Et Peter Grilot, le deuxième garçon le plus brouillon de la classe après lui. Et Katie Snelsen qui lui sourit chaque fois qu'elle le voit. Tous sont des amis, mais pas des meilleurs amis.

Il sait ce qu'est un meilleur ami. Il en voit partout. Burt O'Neill et Georges Undercoffler sont meilleurs amis. Ou Ellen Dabney et Ronni Jo Thomas. Des meilleurs amis sont toujours ensemble, ils chuchotent, rigolent et courent, tout le temps fourrés l'un chez l'autre pour le dîner ou pour la nuit. Chacun est pratiquement adopté par les parents de l'autre. Impossible à séparer.

Zinkoff n'a personne comme ça. La plupart du temps, il n'y pense même pas. Mais à présent, il y pense. Il se demande ce que ça peut bien faire d'être tout le temps fourré chez l'autre à tel point qu'il pourrait entrer dans la cuisine de son meilleur ami sans que sa mère ne lève les yeux tellement elle est habituée et dise : « Lavez-vous les mains et asseyez-vous, vous êtes en retard pour dîner. » Cet aspect-là des choses lui fait envie et il regrette quelquefois de ne pas avoir de meilleur ami. Mais dans ces cas –, il pense à son père, à sa mère, à Polly, au bloc 900 de la rue du Saule, et se dit que tout est très bien comme ça.

Jusqu'à cette question posée là, devant lui : Qui est votre meilleur ami ?

Et cet espace vierge qui semble lui dire : *Si tu n'en as pas, tu ferais bien de t'en trouver un.*

Il saute la question et termine le questionnaire. Puis il y revient. Le temps passe. Bientôt madame Shankfelder leur demandera de lever leur stylo.

Meilleur ami. Meilleur ami.

– Plus qu'une minute ! avertit madame Shankfelder qui d'habitude ne prévient jamais.

Il panique. il regarde tout autour de lui, tant pis si la maîtresse croit qu'il triche. Ses yeux s'arrêtent sur Hector Binns, tout devant au premier rang. Il a la tête rentrée dans ses épaules voûtées. Il est concentré sur son devoir.

Évidemment, Zinkoff connaît Hector Binns puisqu'ils sont dans la même classe depuis le CP. D'année en année, ils se sont retrouvés au même robinet ou à la même échelle de corde. Mais le nom d'Hector commence par un B, il a toujours été assis loin de Zinkoff, qui, du coup, en sait très peu sur lui. Hormis ceci : Hector Binns a des lunettes, il est à peu près de la même taille que lui, il adore la réglisse et se nettoie sans arrêt les oreilles avec un trombone. Et, maintenant qu'il y songe, une chose encore : à ce que Zinkoff sait, Hector Binns est libre. Il n'a pas non plus de meilleur ami.

– Levez vos stylos !

Zinkoff remplit rapidement la ligne blanche sur sa feuille, gratifiant au passage son camarade d'une nouvelle orthographe : Aictor Binsse.

Il meurt d'impatience de sortir en récré. Au parking à vélos, il rejoint Hector Binns en train de de se curer l'oreille à l'aide d'un trombone.

– Salut, Hector ! dit-il. Quoi de neuf?

– Hein ? répond Hector Binns.

– Quoi de neuf? répète Zinkoff.

Mais Hector n'a pas l'air de l'avoir entendu. Il entend sans doute moins bien avec son trombone dans l'oreille. À part ça, il n'a pas l'air hostile et Zinkoff se contente de rester planté face à lui.

Binns fouille son oreille avec une délectation que Zinkoff n'avait jamais remarqué auparavant. Il n'arrive pas à savoir au juste s'il grimace de plaisir ou de douleur lorsqu'il creuse et gratte ainsi. Il ressort le trombone et l'examine. Zinkoff estime qu'il est propre. Binns le plonge alors dans son autre oreille. Creuse, gratte, grimace. Cette fois-ci, un minuscule morceau de cérumen orange est suspendu au bout du trombone.

Binns sort de sa poche une petite bouteille marron qui ressemble à une bouteille de sirop pour la toux. Il l'approche de sa bouche et, l'espace d'un instant, Zinkoff se dit qu'il va l'avaler, mais il ne fait que dévisser le bouchon avec ses dents. Il tapote le bout du trombone contre le rebord du goulot de la bouteille dans laquelle le morceau de cérumen tombe. Zinkoff remarque alors que la bouteille est à moitié pleine. Binns rempoche la bouteille et le trombone.

C'est à ce moment seulement qu'il semble se rendre compte qu'il n'est pas seul.

La question brûle la langue de Zinkoff, mais il la ravale tant bien que mal.

– Alors ? demande-t-il. T'as mis quoi à « meilleur ami » ?

Binns sort d'une autre poche un paquet de bâtons de réglisse. Il mord la moitié de l'un deux et se met à mâcher.

– Personne, répond-il.

– Vraiment ? demande Zinkoff. Tu n'as rien écrit ? On avait le droit de faire ça ?

Binns secoue la tête. C'est la première fois depuis le début que ses yeux croisent ceux de Zinkoff. D'habitude, on dirait toujours qu'il regarde l'Ailleurs.

– J'ai écrit « Personne ». Le mot « Personne ».

– Hm hm, opine Zinkoff en pensant comprendre. Je vois, je vois.

Binns enfourne le reste du bâton de réglisse dans sa bouche et remet le paquet dans sa poche.

– C'est mon lézard, Personne.

Zinkoff fixe les yeux qui fixent l'Ailleurs. Et, tout à coup : il comprend.

– Ah ! Tu as un lézard qui s'appelle Personne !

Binns ferme rapidement les yeux. Zinkoff comprend que ça veut dire oui.

– Et c'est lui que tu as mis comme meilleur ami

Deuxième clignement.

– D'accord, j'ai compris.

Hector Binns conserve son cérumen dans une petite bouteille marron et son meilleur ami est un lézard qui s'appelle Personne. Zinkoff trouve son choix encore plus judicieux.

– Tu sais qui j'ai mis, moi ? demande-t-il.

– Non, répond Binns.

– Toi, dit Zinkoff.

Binns cligne des yeux. Son regard quitte l'Ailleurs pour se poser sur le visage de Zinkoff.

– Quoi ?

– Ouais, sourit celui-ci. J'ai mis ton nom.

Les sourcils de Binns se redressent comme s'ils allaient s'envoler.

– Pourquoi moi ?

– Parce qu'il fallait que j'écrive un nom et j'ai pensé à toi.

– Mais je ne suis pas ton meilleur ami.

– Je sais. Ni moi le tien d'ailleurs. Mais je me suis dit qu'on *pourrait* peut-être le devenir, enfin, je veux dire, comme j'ai mis ton nom et tout.

Hector Binns ne répond pas, ses yeux sont retournés vers l'Ailleurs.

Zinkoff ne connaît pas le mot «négociations», mais c'est pourtant exactement ce dont il s'agit. Il réfléchit à ce qu'il pourrait lui offrir pour officialiser ça.

– Je sais faire un Glapiblab' d'enfer! explose-t-il soudain.

La joue gauche de Binns mâchouille toujours au rythme de son morceau de réglisse. Quand on aperçoit ses dents, elles sont toutes cernées de noir, comme dans un dessin animé. En tant que CM2, Zinkoff sait maintenant reconnaître un truc cool. Et il se décerne le premier prix du cool. Il installe bien ses pieds, coince ses pouces dans sa ceinture et fixe des yeux son Ailleurs à lui.

– Alors, qu'esse t'en penses? balance-t-il en haussant les épaules d'un air de dire qu'il se fiche pas mal de la réponse.

Binns renifle. Il tourne la tête par-dessus son épaule droite, ses lèvres se tendent, s'entrouvrent comme un petit œil noir et crachent un jet de jus de réglisse. Le crachat s'écrase au sol. Il se met enfin à parler et répond à la question de Zinkoff:

– Ce que je dis, c'est que quand j'aurai assez de cérumen, j'en ferai une bougie.

Ouah ! Une bougie en cérumen ! Zinkoff serait prêt à parier qu'il est le seul avec qui Binns ait jamais partagé ce scoop.

La cloche annonce la fin de la récré. Ils se dirigent tous les deux rapidement vers la porte, côte à côte.

– On se voit après l'école ? propose Zinkoff.

– J'crois qu'ouais, répond Binns.

19

LE BONBON DANS SA MAIN

Ce soir-là, au dîner, Zinkoff dit de la façon la plus naturelle du monde :

– Je vais sans doute aller chez mon meilleur ami un de ces jours.

Il espère que ses parents vont saisir la balle au bond et lui demander qui est son meilleur ami.

Et c'est ce qu'ils font.

– Ah ? Et qui est-ce donc ? demande sa mère en levant les sourcils.

– Hector Binns, répond Zinkoff assez fier de la décontraction et du naturel dont il est sûr de faire preuve.

– Il n'est pas dans ta classe ?

– Si, il est au premier rang. Et il adore la réglisse par-dessus tout.

– Par-dessus tout ? questionne son père.

– Ouais.

– Je déteste la réglisse. Ça pue, dit Polly.

– Il fabrique une bougie, leur explique alors Zinkoff.

– Ça, c'est bien, approuve sa mère.

– Avec du cérumen.

Tout le monde s'arrête de manger pour le regarder.

– Du *cérumen* ? demande sa mère.

– Beeeeeeeuuuuuuurk ! ajoute Polly.

– C'est possible ? s'enquiert son père.

Un sentiment de fierté que seuls deux amis peuvent partager envahit Zinkoff.

– En tout cas, lui, il le fait, répond-il en regardant son père dans les yeux.

Quelques jours plus tard, il se rend chez Hector Binns, ouvre la porte et se plante sur une chaise, parce que c'est ainsi qu'on se comporte entre meilleurs amis : on arrive direct et on se plante sur une chaise. La mère d'Hector se retient de rire quand elle le voit ainsi et lui demande : « Qui es-tu ? ». Mais Binns prend Zinkoff par le bras et l'emmène dans sa chambre.

Ils regardent les affaires de Binns. Zinkoff rencontre Personne le lézard. Puis Binns lui dit d'attendre et il sort de la chambre et ferme la porte.

Quand il revient, il tient dans ses mains, une petite bouteille déjà remplie de cérumen.

– C'est la première, déclare-t-il. Je la cache.

Zinkoff n'arrive pas à croire qu'il a le privilège de la voir. Il se sent vraiment très honoré.

En rentrant à vélo chez lui ce jour-là, Zinkoff remarque toutes les traces noires sur le trottoir. Des marques de crachat à la réglisse. Et ça le fait sourire.

Zinkoff est bien décidé à être le meilleur ami possible.

Un jour, Barry Peterson appelle Binns «Totor». Zinkoff sait que Binns déteste qu'on l'appelle comme ça. Alors il va voir Peterson et lui dit: «Hé, il s'appelle Hector.» Parce que c'est ce que fait un meilleur ami, il est là quand son meilleur ami a besoin de lui.

Et on déjeune avec lui, on discute, on partage des secrets, on rigole, on va partout et on fait des tas de trucs; et c'est la première personne à qui on pense en se réveillant.

Zinkoff fait tout ça. Et même plus. Il se met à la réglisse. Il fait comme si c'était du tabac à chiquer. Il se balade avec une énorme boule qui lui déforme la joue. Il s'entraîne à cracher sa chique, mais sa mère met très vite fin à toute tentative.

À part peut-être l'Homme Qui Attend, Binns est

sans doute la personne la plus intéressante que Zinkoff connaisse ; c'est pourquoi il décide qu'il sera lui aussi quelqu'un d'intéressant. C'est à cette période que Zinkoff découvre dans sa poche un morceau de chewing-gum mâché pétrifié. C'est un cadeau de Claudia, la petite fille en laisse et au harnais. On dirait un caillou rose. Il décide que ce sera son porte-bonheur qu'il gardera toujours sur lui et frottera quand il aura besoin de chance. Il se sent déjà plus intéressant.

Après une semaine de cette amitié idéale, Zinkoff demande à sa mère s'il peut inviter Binns à dormir à la maison. « Bien sûr ! », lui répond-elle, et Zinkoff, surexcité, se rue sur le téléphone et appelle son meilleur ami.

– J'crois qu'ouais, répond Binns. Car Binns ne dit jamais « oui », mais toujours « j'crois qu'ouais ».

Mais l'invitation à dormir pose problème. Au lit, Binns est du genre à donner des coups de pied et à rouler sur lui-même. Pour tout dire, c'est un vrai bulldozer quand il dort. Zinkoff se réveille en tombant par terre. Il remonte sur le lit, mais au moment où il se rendormait, il se retrouve en bas. Après sa troisième chute, il prend des couvertures dans le placard et s'improvise un lit sur le sol.

À l'exception du lit la nuit dernière, Zinkoff partage tout ce qu'il peut partager avec son meilleur ami : le déjeuner qu'il emporte dans son sac (il a pris une grande boisson), les sous qui sont au fond de sa poche, le bonbon qu'il a dans la main et les blagues qui le font rire. Avec lui, il partage le bloc 900 de la rue du Saule. Il lui présente la petite Claudia et sa laisse, ils passent devant chez l'Homme Qui Attend en vélo ; mais la dame avec son déambulateur n'est pas là ce jour-là alors Zinkoff demande tous les jours suivants à Binns s'il veut y retourner parce qu'il aimerait énormément que Binns l'entende lui dire « Salut, Facteur ! », mais Binns répond toujours « Non, j'crois pas non ».

Mais il y a une chose que Zinkoff tient particulièrement à partager avec Binns. Il se retient pendant des semaines et des semaines et quand il n'en peut plus d'attendre, un soir à la sortie de l'école, enveloppée dans son sac à déjeuner, il la lui donne. Binns ouvre le sac, et trouve une petite boîte portant l'inscription « Aspirine ». Zinkoff l'a trouvée dans la rue. Binns ouvre la boîte d'aspirine et regarde à l'intérieur.

– Qu'est-ce que c'est ?

– De la cire, confirme Zinkoff tout sourire.

Binns scrute la boîte, puis il scrute Zinkoff. C'est tout ce qu'il fait. Il scrute.

– C'est la mienne, précise Zinkoff. La cire de mes oreilles. Je la garde. Je sais que c'est pas grand-chose, mais je ne pouvais pas attendre plus long-temps. Je me suis dit qu'en l'ajoutant à ton cérumen, tu pourrais te faire ta bougie plus vite.

Il ne lui dit pas qu'il a voulu mettre Polly à contribution et qu'elle a refusé.

Binns fixe l'Ailleurs. Il prend un morceau de réglisse et l'engloutit. Il referme doucement le couvercle de la boîte d'aspirine et la rend à Zinkoff.

– Non, j'crois pas, non.

– Pas de problème, répond Zinkoff en haussant les épaules.

Et il comprend.

Quand on fait une bougie en cérumen, il est très important que ce soit son cérumen. Zinkoff se dit qu'il peut toujours garder le sien pour se faire sa bougie, et se demande si ça peut rentrer dans son projet sciences de l'année.

Et c'est la fin.

20
NULLE PART

Quand est-ce que ça finit ?

Zinkoff reste sans réponse exacte, pendant plusieurs semaines. Il prend seulement vaguement conscience d'un certain nombre de choses, comme le fait qu'il voit de moins en moins Binns. Il va jusque chez Binns en vélo, mais Binns n'est pas là. Il téléphone. Binns répond qu'il doit faire ses devoirs. Il lui pose des questions sur tel ou tel sujet. Binns répond toujours par : « Non, j'crois pas, non. » Rien qu'à sa voix, il devine que Binns hausse les épaules, qu'il regarde au Loin.

Et puis, un matin de printemps, sur le chemin de l'école, Zinkoff remarque sur le trottoir la trace d'un crachat de jus de réglisse. Toute sa tristesse lui remonte alors, et c'est comme ça qu'il comprend : c'est fini.

Mais autre chose commence.

Ce même jour de printemps, il arrive autre chose à Zinkoff. Un A. Il est très rare que Zinkoff récolte un A, en tout cas jamais dans les contrôles importants. Mais là, il s'agissait justement d'un contrôle important de géographie, qui est sa matière préférée, et il l'avait plutôt bien réussi. Et ce A est le seul A de toute la classe – un événement que madame Shankfelder annonce à toute la classe en brandissant la copie de Zinkoff afin que tout le monde en soit témoin.

C'est une ovation. Sa toute première. Plusieurs camarades se lèvent. Barry Haines se met même à siffler – même si c'est sans doute plus pour qu'on admire comme il sait bien siffler que pour féliciter Zinkoff. Le reste de la journée ressemble à une pluie de félicitations. De tapes sur l'épaule. De coups de poing amicaux dans le bras. D'ébouriffages de cheveux. Zinkoff se demande si le fait qu'il ait caressé son chewing-gum mâché porte-bonheur qui ressemble à un petit caillou rose, juste avant le contrôle, peut avoir un lien avec ce qui lui arrive.

Dans la cour, tout le monde veut le voir. On l'arrache des mains de Zinkoff pour se le frotter sur le visage, la poitrine, sous les bras, comme un gant de toilette. On se frictionne à l'élixir de bonne note en poussant des « Aaaaah ! » de plaisir, et, si tout le monde rit, c'est encore Zinkoff qui rit le plus fort.

Ses nouveaux surnoms volent de part et d'autre de la cour comme des oiseaux multicolores :

– LE Zink !

– Mister Z. !

– Le génie !

– Le Zerveau !

À aucun moment, Zinkoff ne se dit que tout cela fait beaucoup de bruit pour un A. À aucun moment, il ne lui vient à l'esprit que ses plus grands admirateurs sont surtout en train de se moquer de lui et du seul A qu'il ait jamais décroché.

Zinkoff ne voit pas cela.

Tout ce qu'il voit c'est qu'il arrive maintenant à rendre les gens heureux. On lui sourit et on lui fait des clins d'œil. On tombe en arrêt devant lui quand on le croise, les jambes plantées comme sur une moto, et, les doigts en forme en canon de pistolet :

– Qui voilà ?

Les mains se tendent en l'air pour claquer la sienne :

– Hé Zink !

Juste avant de s'installer à table pour dîner, il monte sur sa chaise, se frappe la poitrine et déclare :

– C'est moi LE Zink!

Puis il s'assoit.

Ses parents se regardent.

Sa sœur Polly lui demande :

– Tu es le *quoi*?

Et puis, ça aussi, ça prend fin. Et, comme sa plus belle amitié, c'est terminé avant même qu'il ne s'en rende compte. D'ailleurs, les choses ne se sont jamais vraiment passées comme il les avaient imaginées.

Un jour, Zinkoff se rend compte que personne ne lui sourit plus, en dehors de Katie Snelsen et de quelques autres. Plus de tapes dans la main, plus de « hé Zink! ». Il y réfléchit puis se dit qu'il sait pourquoi. La Fête du Printemps approche. Et personne ne prend plus la Fête du Printemps au sérieux qu'un CM2. Et il arrive ce qu'il avait prévu, l'attention se détourne de lui au profit de la Fête du Printemps. Adieu les Hé! et les sourires. C'est pas grave, se dit-il, et il remet son masque de joueur.

Il sort les chaises de la cuisine dans le salon et s'entraîne à la course autour des chaises, la course à cloche-pied et la course à reculons sur les fesses. Il sort sur le trottoir et fait la course avec les voitures jusqu'au bout du pâté de maisons, comme quand il était petit, et trouve que les voitures sont de plus en plus rapides de nos jours. Il saute dans tous les sens.

Pendant ce temps-là, à l'école, Gary Hobin prend de plus en plus de place comme chaque année avant la Fête du Printemps. On n'est encore qu'à deux semaines du grand jour quand il va voir madame Shankfelder et lui demande de former les quatre équipes :

– Il faut qu'on commence à s'entraîner.

Madame Shankfelder écrit alors tout en haut du tableau :

Rouge *Jaune* *Violet* *Vert*

Puis elle inscrit le nom de chaque élève sur des morceaux de papier et les mélange dans une boîte. Elle appelle Ronni Jo Thomas au tableau, lui demande de tourner la tête de l'autre côté et de tirer les noms au sort. Le premier nom tiré au sort sera dans la colonne Rouge, le deuxième dans la colonne Jaune et ainsi de suite jusqu'à ce que tout le monde soit dans une équipe.

Gary Hobin est Jaune.

Zinkoff aussi.

– Oh non ! explose Hobin en voyant le nom de Zinkoff sous le sien.

La maîtresse se retourne :

– Pardon ?

– On peut pas encore être dans la même équipe, dit Hobin. On doit être dans des équipes différentes chaque année, c'est plus équitable.

Madame Shankfeleder fronce les sourcils :

– Ne dites pas n'importe quoi. Cette règle n'a jamais existé.

– Maintenant si ! murmure Hobin.

Dix minutes après, Zinkoff trouve sur son bureau un papier disant : « Oublie les Jaunes. Trouve-toi une autre équipe. »

Pendant la récré de midi, dans la cour, Hobin demande à Zinkoff s'il a trouvé le papier.

– Ouais, lui répond Zinkoff. Qu'est-ce que ça veut dire ?

– Ça veut dire ce que ça veut dire. Tu n'es pas dans l'équipe Jaune. Trouve-toi une autre équipe.

– Mais je fais *partie* de l'équipe Jaune. C'est madame Shankfelder qui l'a dit.

Hobin est plus grand que Zinkoff. Il se penche vers lui jusqu'à caler exactement ses yeux en face des siens. Zinkoff sent son haleine au hot-dog.

– Écoute, dit Hobin. Je ne perdrai pas à cause de toi une deuxième fois. Il est hors de question que tu sois dans mon équipe. Pigé ? Laisse tomber.

Zinkoff ne comprend plus rien. Il y a encore une semaine, Hobin lui toppait dans la main en l'appelant « Le Zink ! ». Et maintenant, ça.

– Mais je m'entraîne, réplique Zinkoff. Je suis bon maintenant.

– T'es qu'un nul, ricane Hobin. Tu ne sais que perdre. Va perdre avec les autres. Tu n'es *pas* un Jaune.

Il s'éloigne puis se retourne :

– Tu ne sais même pas marcher droit.

Zinkoff a très envie de répliquer qu'il vient d'avoir un A, mais il sait que ça n'y changera rien.

Chaque équipe a son capitaine, et Hobin, évidemment, est le capitaine des Jaunes. Les jours suivants, Zinkoff tente une approche de chaque capitaine pour lui demander s'il accepterait sa présence dans l'équipe. Ils refusent tous un par un.

Zinkoff ne sait plus quoi faire.

Il est tenté de le dire à madame Shankfelder et de la laisser tout régler. Puis il réfléchit.

Il est trop gêné pour en parler à ses parents, pour admettre que personne ne veut de lui dans son équipe.

Il frotte son chewing-gum rose porte-bonheur en espérant que la chance tourne.

Et il continue à s'entraîner. Si cela est possible, il s'entraîne encore plus dur et encore plus longtemps. La veille de la Fête du Printemps, il n'est pas à la maison à l'heure du dîner et c'est sa sœur Polly, envoyée par sa mère, qui le retrouve deux pâtés de maisons plus loin en train de faire la course avec les voitures. Et même sur le chemin du retour, alors qu'il écoute Polly le gronder en reprenant son souffle, il sait ce qu'il va faire.

Le lendemain, il se lève comme d'habitude et se dirige vers l'école, mais il n'y va pas. Il change de direction et part dans l'autre sens. Il entend au loin la dernière sonnerie, hésite à courir vers l'école mais ne le fait pas. Il marche dans les rues. Il regarde ses pieds et essaie d'y voir ce que Hobin y voit.

La ville est comme d'habitude et en même temps pas tout à fait la même. Les mêmes maisons en briques et les mêmes trottoirs, mais sans enfants. Quelque chose a été changé au tableau dans lequel il vit. Il n'a jamais ressenti l'air comme ça ni l'espace autour de lui. C'est la même sensation que quand il s'est retrouvé dans les toilettes des filles par erreur (il ne connaît d'ailleurs personne d'autre qui, comme lui, se soit trompé plus d'une fois.). De l'autre côté de la rue, une femme vêtue d'un peignoir fleuri se penche sur son perron pour ramasser le journal sur la marche. Sortant la tête d'un conduit d'aération, un chat jaune l'observe un moment puis retourne d'où il vient.

Il essaie de marcher dans les contre-allées et c'est pire. Il ne se sent bien nulle part. Il est nulle part. Il aimerait être quelque part. Il voudrait être avec des gens. Mais il ne peut ni aller à l'école ni retourner chez lui. Finalement, il se dirige vers la rue du Saule, vers le bloc 900.

En arrivant, il est rassuré de voir que l'Homme Qui Attend est là aussi à cette heure étrange de la journée. Il fait signe de la main à l'Homme Qui Attend et brûle de le voir répondre. Il se dit tout à coup qu'une petite danse ferait peut-être sourire l'Homme Qui Attend, mais il se dégonfle.

Claudia, la petite fille au harnais, n'est pas là aujourd'hui. Il a envie d'aller frapper à sa porte. « Est-ce que Claudia veut bien venir jouer avec moi ? » Quel degré de ridicule peut-il donc atteindre ? À onze ans.

– Salut, Facteur !

Il se retourne. Elle est de l'autre côté de la rue avec son déambulateur. Il court vers elle. Il a envie de la serrer dans ses bras, il est si heureux qu'elle soit là.

– Salut! dit-elle.

– Salut! répond-il.

C'est bizarre s'entendre un «salut!» comme ça dans la bouche d'une si vieille dame. Il a l'impression qu'il pourrait lui apprendre à parler, comme à un perroquet. Elle lui fait penser à un oiseau avec ses jambes toutes maigres qui dépassent de son peignoir. Les jours de classe doivent être le jour de sortie des peignoirs.

– Entre, lui dit-elle comme si elle avait deviné qu'il avait besoin de se retrouver quelque part.

Elle ne lui demande pas ce qu'il fait là alors que c'est un jour d'école. Elle ne lui demande pas comment ça va ni où est son vélo. Elle dit juste «Entre», comme si ça leur arrivait tous les jours.

Et il entre.

21
UN TRUC DUR ET ÉPINEUX

Elle met un temps infini pour aller du perron à la salle à manger.

– Ferme la porte, si tu veux bien, lui demande-t-elle.

Et il la ferme.

À l'intérieur, il fait sombre. Pas aussi noir que dans sa cave, mais plutôt sombre pour l'intérieur d'une maison. Toutes les lampes sont éteintes.

– Alors..., commence-t-elle.

Il attend la suite, mais il n'y a pas de suite. Il n'y a que ce «alors». Elle le répète plusieurs fois sur le trajet de la salle à manger. Elle fait avancer les quatre pieds du déambulateur devant elle, puis ses pieds à elle font le reste. Elle a six jambes. Zinkoff assiste au galop le plus lent du monde. «Alors...» Puis elle se dirige vers le salon. Elle met autant de temps pour traverser sa salle à manger et son salon que lui pour aller à l'école.

– Alors… de quoi as-tu envie ?

De quoi il a envie ? De pas grand-chose à vrai dire. Si on exclut aujourd'hui, sa vie est plutôt une réussite. Et puis, il comprend. Ils sont dans la cuisine, elle parlait de manger quelque chose.

– Un Glapiblab', répond-il. C'est le premier mot qu'il lui soit venu à l'esprit.

Elle s'arrête. Il s'arrête juste derrière elle. Elle tourne la tête sur le côté.

– Un Glapiblab' ? Je n'avais pas entendu ce mot depuis des siècles. Ma *mère* me faisait des Glapiblab'.

Il essaie d'imaginer cette vieille dame avec sa mère. Impossible.

– *Ma* mère fait des Glapiblab', lui dit-il.

– Ça m'étonnerait, répond-elle. Personne n'en fabrique plus.

– Eh bien, elle, elle en *fait*.

– Non, coupe-t-elle fermement.

– Si, tranche-t-il tout aussi fermement.

Mais il est un peu gêné.

Elle a l'air perdu dans la contemplation d'un des pieds de la table de la cuisine. Elle balance la tête sans rien dire. Elle retourne à son déambulateur.

– En tout cas, finit-elle par dire, je n'ai pas de Glapiblab'. Trouve autre chose à me demander, poursuit-elle en traversant à nouveau la cuisine.

Quelque chose d'autre. Bien sûr, il ne manque pas d'imagination quand il s'agit de penser à quelque chose de bon à manger, mais il se rappelle soudain qu'il n'est pas au restaurant mais chez quelqu'un.

– Un sandwich, dit-il.

– Un sandwich.

Elle répète ses mots avec tant de soin qu'il se demande à un moment si elle sait ce que c'est qu'un sandwich. Il n'a jamais été si près d'une si vieille personne. Il se demande combien de choses elle ignore. « Un sandwich... un sandwich... » répète-t-elle en continuant, rapide comme l'éclair, à arpenter la cuisine. Les jambes arrière du déambulateur se posent les premières dans un bruit sourd de caoutchouc, viennent ensuite les deux jambes avant, et enfin le bruit de ses chaussons à elle qui se traînent sur le lino. Schdong schdong schwuipp. « Un sandwich... »

Il tombe sur une chaise. Il est presque abruti de tant de lenteur.

Elle s'arrête devant un petit placard en fer.

– Beurre de cacahuètes et confiture ? demande t-elle. Les enfants aiment toujours le beurre de cacahuètes et la confiture ?

Il y a très longtemps qu'il a passé l'âge du beurre de cacahuètes avec de la confiture. Un sandwich aux poivrons et aux œufs comme sa mère sait les faire, voilà ce dont il a vraiment envie, avec de la moutarde forte. Mais il sent bien que ce n'est pas le moment.

– Bien sûr, répond-il alors.

Elle fouille dans le placard, fouille dans le réfrigérateur. Elle trouve le beurre de cacahuètes, mais :

– Je ne trouve pas la confiture. Aujourd'hui on fera comme si on en avait. Qu'en dis-tu ?

Il est d'humeur à dire oui à tout.

– D'accord, lui dit-il.

Elle est tellement lente, chacun de ses mouvement est tellement lent qu'il voit des choses qu'il n'a jamais eu le temps de voir avant. Il n'avait jamais remarqué qu'il y avait autant d'étapes pour étaler du beurre de cacahuètes sur une tranche de pain. Est-ce ainsi que l'Homme Qui Attend voit les choses ? Un monde au ralenti ?

Après plusieurs années-lumière, elle se dirige à nouveau vers la table, poussant d'une main son déambulateur et tenant dans l'autre une assiette avec le sandwich. Alors qu'elle dépose celle-ci sur la table et se retourne pour apporter le deuxième sandwich, Zinkoff se lève d'un bond :

– Je m'en occupe!

Elle se transporte de son déambulateur à une chaise, puis ils s'installent, oui ils s'installent enfin, tous les deux pour manger.

– Ma confiture à moi est à la groseille à maquereau, prévient-elle.

Elle a exactement toutes les couleurs d'une souris blanche: des cheveux blancs qui laissent entrevoir un crâne rosé, des paupières roses. Ses yeux sont remplis d'eau mais elle ne pleure pas.

– On avait des groseilles à maquereau à la ferme. Et la tienne? À quoi est-elle?

– Au raisin.

– Mais c'est de la confiture ou de la gelée?

Zinkoff est décontenancé.

– De la gelée, je crois.

– La confiture, c'est plus facile à tartiner, dit-elle.

– D'accord, c'est de la confiture alors.

- Tu es sûr? J'ai toujours trouvé que la gelée avait beaucoup plus de saveur que la confiture.

– C'est de la gelée.

Cela ne fait aucune différence. Il essaie bien de faire semblant, mais il ne sent que le goût du beurre de cacahuètes et du pain.

Il est content qu'ils mangent dans la cuisine. Il n'y fait pas aussi sombre que dans le reste de la maison. Les sandwichs ont été coupés en triangles. C'est comme ça qu'il les aime. Ils ont l'air différents. Il a englouti son sandwich sans même s'en rendre compte. La vieille dame vient à peine de commencer. Elle mange aussi lentement qu'elle se déplace.

Elle le regarde. Elle repose son sandwich et tend le bras vers son déambulateur avec une grimace de douleur.

– Je t'en fais un autre.

– Non, l'interrompt-il en posant sa main sur son poignet dont la peau est comme du papier journal, je vais le faire.

Il se lève et s'en prépare un autre.

– N'oublie pas la gelée, lui crie-t-elle par-dessus son épaule.

Il étale la gelée imaginaire. Il coupe le sandwich en triangles.

Il essaie de manger celui-ci plus lentement. Ils ne parlent pas. Il se demande ce qu'elle a comme boisson, mais il a peur de demander.

– Vous connaissez l'Homme Qui Attend? demande-t-il.

Elle balance la tête et inspire, comme pour bien apprécier toute l'essence de la question :

– L'Homme Qui Attend?

– Le monsieur derrière sa fenêtre en bas de la rue, au 900 de la rue des Saules.

Afin de mieux réfléchir, elle pose son sandwich.

– Je ne connais pas d'Homme Qui Attend, finit-elle par dire en secouant la tête.

– Il attend depuis longtemps, précise Zinkoff, depuis *très* longtemps.

Il espère qu'elle va lui demander depuis combien de temps.

Elle le regarde. Ses yeux sont embués mais il sait qu'elle ne pleure pas:

– Combien de temps?

Puis il se dit tout à coup que le nombre n'est plus valable : son père lui a dit « trente-deux ans », mais, à l'époque, il était en CE1. Aujourd'hui, il est en CM2. Trois ans. Trente-deux plus trois...

Il la regarde dans les yeux. Il laisse tomber de sa bouche chaque mot comme une pierre. *Trente. Cinq. Ans.*

Elle n'a pas l'air impressionnée le moins du monde. Elle reprend son sandwich, mord dedans et mâchouille pendant un bon moment. Puis ses yeux s'en vont, en direction du séjour, de l'Ailleurs :

– Qu'attend-il?, demande-t-elle.

– Son frère.

– Ah, se contente-t-elle de réagir comme si cette réponse éclairait tout.

Il entend un bruit dans l'entrée et comprend qu'il s'agit du courrier qui vient de passer par la fente. Son père fait sa tournée. Elle n'a pas l'air de l'entendre.

– Comment s'appelle-t-il? demande-t-elle.

– Qui ?

– Son frère.

Cette question le surprend. Il ne s'est jamais demandé comment s'appelait ni l'Homme Qui Attend ni son frère.

– Je ne sais pas, répond-il.

Elle entame sa deuxième moitié de sandwich – ça fait longtemps qu'il n'a plus rien à manger. Pendant qu'elle mâche, il sent bien qu'elle le fixe. Il est mal à l'aise. Dès qu'il la regarde plus d'une seconde, il remarque que sa peau a l'air presque transparente, comme la fine couche de glace que pose le froid de novembre sur les flaques. Il a l'impression de voir à l'*intérieur* d'elle. Une pensée lui traverse tout à coup la tête : dès qu'elle aura fini de mâcher, elle va lui demander comment il s'appelle.

Il n'a pas envie qu'elle le lui demande. Il ne veut pas l'entendre l'appeler « Salut, Donald ! » ou « Salut, Zinkoff ! ». Il tient à son « Salut, Facteur ! ».

Il faut trouver quelque chose à dire, vite, faire diversion.

– Je sais épeler « tintinnabuler », sort-il.

Et il épelle le mot pour elle. Il a attendu des années entières que quelqu'un le lui demande à l'école. « T-I-N-T-I-N-N-A-B-U-L-E-R »

Elle en reste bouche bée, les yeux grands ouverts. Elle est épatée. Elle n'en revient pas.

– Et j'ai même eu un A, une fois. En géographie. Le seul A de toute la classe.

Cette fois, elle a l'air contente plutôt qu'épatée. Elle n'est pas surprise. Elle savait qu'il pouvait le faire.

– Toutes mes félicitations.

Ces trois mots lui rappellent ceux de ses parents : « Cent et une félicitations à toi ! » Et soudain, il se souvient du contrat qu'il a passé avec sa mère à l'hôpital le jour de la naissance de Polly, cette promesse qu'il avait deux étoiles de côté pour le jour où il en aurait vraiment besoin. N'était-ce pas précisément aujourd'hui ?

– Vous avez des étoiles ? demanda-t-il.

– Des étoiles ? lui demanda-t-elle en le regardant bizarrement.

– Oui, vous savez, ces petites étoiles en papier. Celles qu'on colle sur – il allait dire « sur ses chemises » – sur des feuilles et des trucs comme ça.

Elle hoche la tête. Elle se lève et se dirige vers un des tiroirs de la commode. « Des étoiles… des étoiles… » marmonne-t-elle en fouillant dans le tiroir.

Elle dirige le déambulateur vers la salle à manger et il regrette sa question.

« Des étoiles… des étoiles… »

Elle revient en hochant la tête. Elle tient quelque chose dans la main mais ce n'est pas une étoile. C'est une image avec une dinde dessus, de la taille d'un timbre, du genre de celles que mademoiselle Meeks a pu lui donner une fois ou deux. Elle la lui tend :

– Et une dinde ? Ça te va ?

C'est parfait, une dinde. Et il la colle sur sa chemise. Il n'arrive pas à lui expliquer combien cette dinde lui a fait du bien, tellement de bien que ses yeux à lui aussi sont pleins d'eau maintenant, que son souffle se saccade dans sa poitrine, que quelque chose de dur et d'épineux semble sortir de lui et qu'il lui raconte tout. Il lui raconte la Fête du Printemps et pourquoi il n'est pas à l'école. Il lui parle de ses deux professeurs préférés de tous les temps, mademoiselle Meeks avec son Train du Savoir et monsieur Yalowitz qui lui a dit : « Et les Z seront les premiers ! » Il lui parle de son chapeau girafe, de Trifouillis et Trifouilloux (ce qui la fait hurler de rire), du cookie géant pour Andrew, d'Hector Binns et de sa bougie en cérumen. Il lui parle encore de la Fête du Printemps, de ce que disent les pendules et Gary Hobin, il lui raconte comment il a marqué un but pour les Titans, et ce qui s'est passé dans la cave quand il a refermé la porte sur lui et le Monstre de la Chaudière, auquel, Dieu lui pardonne, il croit encore à moitié.

Il parle et parle encore, comme s'il pelait le fruit de sa vie pour le déposer sur ses genoux. Il lui donne son chewing-gum mâché porte-bonheur. Elle le frotte sur sa robe et le lui rend. À travers ses larmes, il la voit floue, comme un fantôme. Ses cheveux blancs trônent sur sa tête comme un nuage de coton.

L'enfant qu'il a toujours cru qu'il était semble s'être endormi quelque part. Quand il se réveille, il est sur le trottoir. De son perron, la dame lui crie :

– Bye, Facteur!

Dans le ciel, le soleil est bien au-delà des toits des maisons. L'école est finie: les enfants rentrent à la maison en faisant la course. Un air tiède et nouveau envahit agréablement son visage.

22
Vive Perpète Au Fond de la Classe !

L'équipe des Jaunes a gagné. À plate couture.

Zinkoff l'apprend le lendemain en arrivant à l'école. Tous les membres de l'équipe portent une médaille d'or autour du cou. En réalité, ces médailles sont en plastique mais elles ressemblent vraiment comme deux gouttes d'eau à celle des jeux Olympiques et, comme celles-ci, elles sont suspendues au cou des vainqueurs par des rubans tricolores.

Gary Hobin a encore fait des exploits pour la Fête du Printemps et, jusqu'à la fin toute proche de l'année, c'est lui le Roi de l'École. Certains jours, il lui arrive de plaisanter avec des gens dont il ignore même le prénom et d'être sympa avec eux. Mais ce n'est jamais lui qui les aborde en premier. Il a appris que s'il se retenait de leur adresser la parole, les autres venaient d'eux-mêmes le féliciter. À vrai dire, il y a tellement de gens qui le félicitent sans cesse, qu'il est surpris quand quelqu'un ne le fait pas.

Les autres jours, on peut le voir, toujours aussi sérieux, s'étirer et toucher le bout de ses doigts de pied pendant la récré ou quand il n'a rien à faire en classe. Ces jours-là, on dirait qu'il ne voit même pas que les autres existent. Il regarde l'Ailleurs – mais sûrement pas le même Ailleurs que Binns ou que Madame Salut Facteur – plutôt l'Ailleurs doré des médaillés olympiques. Au bout d'un ou deux jours, les autres Jaunes laissent leur médaille de côté, mais Hobin la porte jusqu'à la fin et même le jour de la remise des diplômes.

Ce jour de la remise des diplômes, Zinkoff s'assied dans l'orchestre. Celui-ci doit jouer deux morceaux ainsi qu'un air de parade à chaque fois qu'un élève vient chercher son diplôme de fin d'année. De là où il est perché sur la scène, Zinkoff voit toute la foule, sauf ses parents et sa sœur.

Le directeur de l'école prononce le discours d'inauguration. Puis c'est au tour de l'intendant chef de parler. Puis vient le premier morceau de l'orchestre, « La valse de Palaggio ». À deux reprises, un son assez proche de celui d'une petite sœur qu'on pince sort de la flûte de Zinkoff. Le professeur de musique fait une petite grimace, mais Zinkoff ne le remarque même pas.

Ensuite, pour avoir reçu les meilleures notes, Katie Snelsen reçoit un livre. Debout sur l'estrade, elle prononce un discours. Tout le monde l'écoute attentivement en souriant. Seuls les élèves de l'orchestre peuvent voir qu'elle est en même temps en train de forer un puits dans l'estrade à l'aide de la pointe d'une de ses chaussures.

Arrive ensuite le moment des récompenses et des prix spéciaux. C'est-à-dire toute une tripotée de lauréats : le meilleur ceci, la meilleure cela, la plus ceci, le plus cela, le deuxième meilleur machin et même le troisième meilleur truc. Des médailles, des citations, des chèques, des poignées de main, des certificats de cadeau, des trophées et, pour Bruce DiMinno, le Trophée du Directeur, c'est à dire une pomme en verre.

C'est pendant cette remise des prix que Zinkoff aperçoit tout à coup monsieur Yalowitz au fond de la salle. Il n'a aucune raison d'être là. Il enseigne aux CM1 et la remise des diplômes des CM2 ne le concerne pas. Et pourtant, celui qui est à la fois son voisin d'alphabet et son professeur préféré de tous les temps (avec mademoiselle Meeks) est bien là. C'est à ce moment là que Zinkoff comprend : c'est la fin du primaire ! Il n'y a plus d'école. Plus de trajet à pied, plus de premier arrivé le matin ; l'année prochaine, il prendra le bus, avec les autres, pour aller au collège. Plus de petit coin douillet au fond de la classe, le même, toute la journée, toute l'année.

Pour la deuxième fois depuis le début du printemps, Zinkoff a envie de pleurer. La cérémonie de fin d'année n'est pas encore terminée que déjà l'école élémentaire John W. Satterfield lui manque. Perpète Au Fond de la Classe lui manque, et même la Fête du Printemps et même madame Biswell. Il regarde tout autour de lui. Il aime tout et tout le monde. Il a envie d'enlacer les murs. Alors que la dernière récompense est remise, l'orchestre entame « Ce n'est qu'un au revoir ». Zinkoff se retrouve alors en train de faire la chose la plus difficile de toute sa vie : jouer de la flûte et pleurer en même temps. Il remarque que le professeur de musique pleure aussi.

Il se demande combien de jours il reste des deux mille cent soixante du départ. Ce chiffre est resté gravé en lui.

Le directeur se dirige à présent lentement vers

l'estrade. Il remercie ces « talentueux musiciens » pour leur « merveilleuse prestation », sourit aux lauréats du premier rang et déclare :

– Voici maintenant le moment que nous attendons tous.

Les lauréats se lèvent et montent un par un sur l'estrade à l'appel de leur nom. Le surveillant général tend à chacun d'entre eux un parchemin entourée d'un ruban bleu. C'est le diplôme. Quand les élèves se précipitent sur leur diplôme, et c'est le cas de la majorité d'entre eux, le surveillant général marque un mouvement de recul et les oblige à lui serrer la main avant de leur tendre le parchemin.

Chaque nom appelé crée une effervescence nouvelle dans le public. Les gens se faufilent sur les côtés pour prendre des photos. La famille, les parents, les amis félicitent les diplômés. Certains sont plutôt discrets : un léger applaudissement, un « Bravo, Sarah ! » ou un « Bien joué, Nicky ! ».

D'autres le sont beaucoup moins : ils se lèvent de leur siège, balancent les bras en l'air, sifflent des deux doigts, imitent le cri de l'élan ou tambourinent le sol de leurs pieds. Difficile de ne pas comparer les familles entre elles et de ne pas classer les encouragements les plus forts, les plus longs, les plus démonstratifs ou de ne pas élire le gagnant du grand concours de photos sous les flashes crépitants.

Tout cela finit par ressembler à l'ultime compétition avant de quitter l'école pour de bon.

Mais Zinkoff essaie de ne pas voir les choses sous cet angle. Il se dit simplement que certaines familles sont naturellement plus discrètes que d'autres et que cela ne signifie pas qu'elles aiment moins leur diplômé à elles. Et il sait que ce sera le cas de sa famille : son père n'est pas un grand siffleur et sa mère n'est pas championne du monde de battements de pieds. Mais il se dit que ça doit quand même être sympa d'avoir quelqu'un qui vous soutient en hurlant comme un cinglé, – encore faut-il, dans ces cas-là, avoir quelqu'un pour vous soutenir, ce qui n'est pas son cas puisqu'il n'aperçoit *toujours pas* ses parents dans l'assistance, sans doute encore une panne de Vieille Casserole VII –, et que, à ce stade de la cérémonie, il se contenterait même d'un simple clin d'œil.

Perdu dans ses pensées et occupé à scruter la foule de visages devant lui, Zinkoff n'entend même pas l'appel de son propre nom :

– Et enfin, à tout seigneur, tout honneur : Donald Zinkoff !

Le directeur attend. Le surveillant général attend.

Le directeur regarde autour de lui comme si Zinkoff allait descendre du ciel.

– Donald Zinkoff? répète-t-il cette fois d'un air interrogateur.

Zinkoff atterrit soudain. Il se précipite d'un bond vers le directeur, se prend les pieds dans la chaise du clarinettiste assis à côté de lui et s'étale par terre. Sa flûte roule bruyamment et la salle explose de rire. Mais Zinkoff ne leur en veut pas. Quel imbécile! se dit-il en se joignant à leurs rires, quel imbécile! Il cherche sa flûte partout, se relève, salue l'assemblée et finit enfin son trajet aux pieds du directeur, oubliant au passage que c'est devant le surveillant général qu'il est censé se présenter.

Maintenant que le calme est revenu, il recommence à espérer, à se dire que peut-être...

La table, qui tout à l'heure était recouverte de diplômes, est à présent totalement vide. Il ne reste plus que celui que le surveillant général tient en main. Vive Perpète Au Fond de la Classe!

Zinkoff tend la main pour s'en saisir et trouve à la place la paume large et chaude du surveillant général, et il la serre.

– Zinkoff au rapport! déclare-t-il, droit comme un i.

Le sourire du surveillant général se crispe légèrement, mais il le salue à son tour et lui remet son diplôme.

Un « Ouais, Donald ! » retentit dans la foule et c'est une voix que Zinkoff connaît bien. Il scrute : c'est Polly. Ils sont là tous les trois depuis le début, en plein milieu. Ses parents applaudissent, les deux mains au-dessus de la tête, mais c'est Polly qu'il voit. Perchée sur les épaules de son père, elle agite les bras et balance en l'air de grands coups de poing : « Allez Donald ! Allez Donald ! ». Ça y est, Zinkoff a trouvé son supporter qui hurle comme un cinglé, celui qui se déchaîne plus que tous les autres réunis. Puis, tout au fond de la salle, Donald aperçoit les deux pouces levés vers le ciel et le grand sourire de monsieur Yalowitz.

23
S'ÉVANOUIR

C'était donc ça le jour des diplômes, un jour comme les autres.

Suivi d'un autre.

Puis d'un autre encore.

Zinkoff met sa flûte, son sac à dos et ses souvenirs du jour des diplômes de côté et entame le reste de sa vie.

Pour Zinkoff, et pour tous les gosses de ce bourg ouvrier grisâtre, l'été ressemble à un lac tiède où on aurait pied. Certains s'ébattent et s'éclaboussent, d'autres nagent si loin vers le large qu'on ne les voit plus, d'autres enfin restent debout sur les bords et laissent leurs orteils s'enfoncer dans le sable. L'air chaud et le soleil invitent à la paresse, et l'eau à abandonner l'usage de ses pieds pour se laisser flotter.

Avec un nouveau venu dans le quartier, Zinkoff conduit son Vieux Poêle I. Ils roulent à travers tout le parc, descendent Halftank Hill. Zinkoff, sur son vélo, est touché par la grâce.

Pendant tout le mois de juillet, Zinkoff est accro au Monopoly. Il emporte le jeu partout avec lui et garde son pion préféré – le chapeau haut de forme – dans sa poche. Il joue avec ses parents, avec Oncle Stanley, avec les voisins et même avec la dame qui l'avait appelé Facteur. Quand il ne trouve personne d'autre, il se rabat sur Polly qui le supplie jour et nuit de jouer. Très vite, les maisons de Zinkoff recouvrent tout le plateau de jeu et ses billets de banque s'empilent comme des gratte-ciel. Polly est tellement facile à battre que ce n'est même pas drôle. Zinkoff s'amuse à l'écraser à plate couture en espérant la mettre en rage, la faire taper des pieds et piquer une colère, car c'est toujours un spectacle divertissant. Mais Polly ne le fait jamais, elle se fiche complètement de perdre, et si ça se trouve, elle ne s'en rend même pas compte. Tout ce qu'elle aime, c'est faire rouler les dés et, quelle que soit la case sur laquelle elle atterrit, elle est contente. Et pour finir, c'est Zinkoff qui se met en rogne.

Puis ils partent pour les vacances d'été : trois jours au bord de la mer. Ils font la promenade côtière, il serre la main de Quicky et mange une glace, une gaufre fourrée ainsi qu'un banana split. Pendant que Polly creuse des trous dans le sable, il profite de l'eau et défie les vagues de l'atteindre.

De retour chez lui, il harcèle ses parents pour s'inscrire à la piscine, mais ils lui expliquent que c'est trop cher. Alors il s'occupe comme s'occupent les enfants : il respire l'odeur de cèdre du coffre dans la chambre de ses parents, il décapite les pissenlits, fait de la balançoire au parc, lèche le bol du robot mixer, fait du vélo, compte les voitures sur l'autoroute, retient sa respiration, fait claquer sa langue, goûte au tofu, touche la mousse, rêve toute la journée, regarde derrière lui, devant lui, espère que, se demande si… et avant même qu'il ne s'en rende compte, comme par miracle, l'été est fini.

Le collège Monroe est tellement grand qu'il fait peur. Il contient l'équivalent de quatre écoles primaires. Pas de balançoires dans la cour, pas de terrain de jeux, pas de récré. Zinkoff est ballotté toute la journée de salle en salle, de prof en prof. Toutes les quarante-cinq minutes les troupeaux se croisent dans les couloirs. « Meuh ! » Les élèves de quatrième sont des géants et le bousculent. Quand il aperçoit un visage familier de Satterfield, il sourit et agite les bras en l'air.

Un jour, il s'arrête net devant un de ces visages et crie « Andrew ! ». C'est son voisin du bon vieux temps. Andrew le regarde mais poursuit son chemin sans le reconnaître.

– C'est moi ! Donald Zinkoff !

– Ah ouais. Salut, répond Andrew en hochant la tête.

Zinkoff court vers lui pour le rattraper. Andrew a drôlement grandi depuis la dernière fois qu'il l'a vu. Il dépasse Zinkoff de quinze centimètres. Si Zinkoff ne le connaissait pas, il l'aurait pris pour un élève de quatrième, et pas seulement à cause de sa taille, aussi à cause de son allure tout entière. Contrairement à la plupart des élèves de sixième avachis comme des haricots mous, Andrew donne l'impression d'être ici chez lui, il n'a pas à s'excuser d'être né.

C'est un peu bizarre d'avoir à lever la tête pour lui parler.

– Qu'est ce que tu as grandi, Andrew !

Andrew regarde le vide en face de lui puis baisse la tête vers Zinkoff.

– Ouais. Et c'est Andy.

– Hein ? demande Zinkoff qui ne comprend rien.

– Je m'appelle Andy maintenant.

– Ah ! Tu as changé de nom ?

– Ouais.

Zinkoff n'a jamais vu la nouvelle maison d'Andrew – enfin d'Andy – à Heatherwood mais il imagine très bien les nouvelles rues et les nouveaux arbres devant. Il hoche la tête comme si ça allait de soi : à nouvelle maison, nouveau nom.

– Cool ! dit-il alors qu'ils marchent l'un à côté de l'autre. Ton père est toujours banquier ?

– Et le tien ? Toujours facteur ? répond Andy en le regardant de haut sans baisser la tête.

Une sonnerie retentit avant que Zinkoff ait le temps de lui répondre. Mais ce n'est pas celle de l'école, elle vient du sac d'Andy. Celui-ci sort son téléphone portable, répond et s'éloigne en parlant vers son prochain cours.

En classe, Zinkoff s'assoit où il veut ! Il se plante en plein milieu du premier rang et se dépêche à chaque fois pour être sûr d'être le premier à s'asseoir. À chaque fois qu'il prend place au premier rang, il repense à monsieur Yalowitz qui lui manque.

Zinkoff fait partie de l'orchestre, il rencontre des flûtistes d'autres collèges, ils comparent leurs flûtes.

Il s'inscrit au club photo, au club vidéo, au club de maquettes de voiture et aux Amis de la Bibliothèque. Mais il est obligé de tout laisser tomber à l'exception des Amis de la Bibliothèque à cause des répétitions de l'orchestre qui ne sont pas compatibles avec le reste.

Un jour, il rate une marche et dégringole l'escalier cul par-dessus tête jusqu'à l'atterrissage. Il passe plusieurs minutes à quatre pattes pour rassembler ses crayons, ses gommes, ses livres, sa règle, son équerre, son rapporteur, son chewing-gum mâché rose porte-bonheur, ses morceaux de cookies, le chapeau haut de forme du Monopoly et tout ce qui s'est échappé de son sac et de ses poches. Les élèves zigzaguent entre les décombres, deux élèves de quatrième en train de rire écrasent ses bouts de cookies sans faire attention.

Après être devenue des mathématiques, l'arithmétique s'est maintenant transformée en géométrie. Des carrés et des rectangles, tout va bien. Puis des hexagones, des pentagones, des octogones, des kesskecékcegones, ça, non, Zinkoff ne peut pas. Il est nul en formes. Il retourne au groupe de maths.

Même l'orchestre n'est plus un simple orchestre,

c'est un orchestre fanfare. *Génialissime*, est le premier mot qui vient à l'esprit de Zinkoff. Il s'imagine déjà dans un superbe uniforme avec des passementeries dorées et des tas de trucs comme un chapeau à plume aussi grand que son chapeau girafe. Mais, en fait, il n'y a pas d'uniforme. Les uniformes, c'est seulement à la fac. Au collège, on se contente d'apprendre les bases.

Sur le parking, ils s'entraînent à jouer et à marcher en même temps. Le premier jour, il s'agit de suivre une simple ligne droite. Marcher et jouer. Ne pas transpirer, ajoute mentalement Zinkoff.

Après, ils attaquent les virages. À quatre-vingt-dix degrés droite, puis gauche. Puis à quarante-cinq degrés. Puis le demi-tour. Mais Zinkoff n'y arrive pas. L'un ou l'autre, aucun problème : marcher sans jouer et jouer sans marcher. Mais quand il essaie les deux en même temps, il se cogne dans les voitures, le parking à vélos ou les autres membres de l'orchestre. Ça fait penser aux auto-tamponneuses. Un jour, le pire d'entre tous, il court, s'écrase sur le tuba, saigne du nez et se voit prié de rentrer chez lui.

Mais il n'abandonne pas et personne ne l'empêche de revenir.

Derrière le collège, il y a deux terrains de basket. Quand ils ont le temps, les élèves font des matchs improvisés. Les quatrièmes s'approprient le panneau de basket en bon état, les sixièmes et les cinquièmes se contentent de l'autre.

Zinkoff traîne dans le coin, il espère pouvoir jouer. Les capitaines d'équipe sont toujours deux espèces de bonzes athlétiques. Personne ne les a élus. Et ils n'ont pas eu à s'imposer en marquant des points magnifiques ou quoi que ce soit. Ils se pointent. Et personne ne discute. Gary Hobin est souvent capitaine. Ainsi que Andy Orwell.

Les capitaines se tiennent sur la ligne de tir et passent les troupes en revue. Ils choisissent leurs joueurs un par un. On sait si on est bon quand on est vite pris. Quand dix joueurs ont été choisis, ceux qui restent reculent derrière la ligne et attendent jusqu'à la fin du match – dix paniers – pour retenter leur chance.

Maintenant Zinkoff adore le basket. Il attend match après match. Les capitaines choisissent et choisissent encore ; souvent les mêmes joueurs d'ailleurs. Zinkoff essaie de faire bonne figure pendant la sélection des équipes. Il fait sa tête de joueur, il fronce des sourcils. Il est évident pour tout le monde que c'est un bon marqueur. Une fois, Andy le regarde, et il se dit que ça y est, c'est bon, il entend déjà son nom, il le voit se former sur les lèvres d'Andy – Zinkoff!

Mais le nom qui sort de sa bouche est Nedney.

Puis septembre laisse la place à octobre qui devient novembre puis décembre, l'herbe est sèche comme les poils d'une brosse à cheveux et les chauffeurs de bus soufflent sur leur pare-brise. L'orchestre grimpe dans le bus, ainsi que les champions du basket et les équipes de foot. Halloween. Thanksgiving. Basket. Contrôles. Entretiens. Projets. Rapports écrits. Vœux. Grognements. Attendre la neige.

Le collège en hiver.

Et Zinkoff s'évapore.

Pas pour lui-même. Non, pour lui-même il est bel et bien là, à chaque minute : il rit, il rote, il mord la gomme de son crayon. Comme tout le monde, il est le roi de son propre royaume. On le regarde et on l'écoute. Presque tous les jours. Les autres membres de l'orchestre et ses copains de sixième.

Puis il redevient rien. Rien pour l'œil immense du Dragon du collège-lycée Monroe. Et même ce qui le distinguait de tous à Satterfield – c'est-à-dire perdre – a disparu. Tout ça est oublié et délaissé comme des papiers de bonbon froissés. Ici les pendules ne disent rien d'autre que l'heure et Zinkoff n'est même pas un nul. Il est moins que ça. Il n'est personne. Et, bien avant les premiers flocons, il s'efface complètement.

24
JOUR DE NEIGE

Le flocon vole sur les ailes d'un vent du nord-est, voltige très haut au-dessus d'Heatherwood avant de descendre en virevoltant sur les toits de goudron de la ville, survole Halftank Hill, la baraque à sandwichs d'Eva et la poste, zigzague comme une abeille dans la rue du Saule et passe en rase-mottes sur la pelouse et l'asphalte du lycée Monroe, danse un moment dans les airs au niveau d'une fenêtre du premier étage et, après un dernier soubresaut dans les airs, épuisé, se pose sur le toit.

Dans la classe en dessous, un élève de quatrième lève la tête de la feuille sur laquelle il griffonne. Il renifle, tend le cou, regarde par la fenêtre, louche et se lève à moitié. Il écarquille les yeux et agite les bras :

« IL NEIGE ! »

En quelques secondes tout le lycée est au courant.

– C'est juste quelques flocons.

– C'est qu'un début.

– Si ça se trouve on va avoir du blizzard.

– Demain, c'est jour de neige !

– Faut espérer !

À midi, rien que des flocons. Les élèves chantent en chœur, collés aux fenêtres de la cafétéria : « Il neige ! Il neige ! Il neige ! »

– C'est juste quelques flocons.

– On n'aura rien de plus.

– C'est du flan.

– Ça tient même pas. Regarde, le sol est sec.

À plusieurs reprises un vent du sud chasse les flocons et laisse un grand ciel blanc et calme.

– C'est l'arnaque !

À la fin de leur journée de classe, les élèves n'ont qu'à lever la tête pour se faire tremper par de gros flocons dodus.

« Il neige ! Il neige ! Il neige ! »

Zinkoff adore l'école mais il adore aussi les jours de neige, et demain sera un jour de neige. C'est sûr. En sortant du bus devant chez lui, il voit que la neige tient. Les trottoirs sont déjà blancs. En s'imaginant la profondeur de la neige sur Halftank Hill demain, il s'écrie « Hourraaaa ! » oubliant qu'il ne dit plus ça depuis longtemps.

La neige est idéalement fraîche pour les boules et les batailles éclatent partout dans les rues de la ville. On essaie de gratter les capots des voitures et le seuil des maison aussi vite que possible, plus vite que les flocons qui tombent.

Les dîners avalés en trois minutes deviennent la règle : retirer ses gants, avaler quelque chose, ignorer les protestations maternelles, remettre ses gants, ressortir et découvrir que la neige a encore monté d'au moins deux centimètres.

À présent il fait nuit, et les enfants s'arrêtent de jouer pour regarder le spectacle des flocons illuminés par les lampadaires. Mais pas pour longtemps. Les boules de neige fusent dans l'obscurité, traversent les cônes de lumière et retournent au néant.

Les premiers chasse-neige font leur apparition en grondant. Mais ce ne sont pas des chasse-neige : ce sont des tanks et les boules de neige sont des bazookas ! Et boum !

Zinkoff s'élance à l'attaque d'un tank lorsqu'il remarque une lumière à un bloc de là. Puis une autre, un flash rouge, banc et bleu. Les gamins tourbillonnent, lancent de toutes leurs forces. Quelqu'un court.

Avec les autres, il se dirige vers les lumières. Qu'est-ce que c'est ? Un incendie ? Un meurtre ? La bataille de boules de neige continue, mais ce sont maintenant des escarmouches, de la neige attrapée au vol. Ils longent un pâté de maisons, un deuxième, encore un autre.

Voilà la rue du Saule. Le bloc 900. Tout y est illuminé comme pour le carnaval.

Des voitures de police, des véhicules des urgences : c'est tout un défilé qui a envahi le haut de la rue, dont les lumières se réfléchissent sur les voitures recouvertes de neige, des gens courent, d'autres crient, tout le monde est devant chez soi et regarde. Des sifflements de radio. On piétine la neige sur le trottoir, on l'écrabouille sur la rue.

Zinkoff rebondit comme une boule de flipper entre les gens. À travers les flocons scintillants, il aperçoit l'Homme Qui Attend comme un fantôme à sa fenêtre. On dirait George Washington. Zinkoff perçoit des bouts de conversations :

« ... petite fille... perdue... mère... glacée... paniquée... laisse... »

C'est Claudia, la petite fille à la laisse.

Elle est perdue.

Bizarrement, Zinkoff n'est pas étonné. Il l'imagine filer en douce à un moment où sa mère a le dos tourné, il la voit s'extirper du harnais en gigotant, se débarrasser de la laisse et lever les mains au ciel en criant hourraaaa ! Il la voit s'élancer dans la neige tout le long de la rue, enfin libre, exactement comme lui, la première fois qu'on l'a autorisé à sortir tout seul.

En haut de la rue, les lumières crépitent autour de la maison de Claudia. Il croit reconnaître la mère de la petite fille dans la foule massée juste devant. Il entend quelqu'un pleurer.

Il enlève un de ses gants. Il est obligé d'enlever chaque doigt un par un et c'est encore plus dur parce que son gant est trempé et glacé. Si son gant est trempé et glacé, c'est parce que les boules de neige qu'il a lancées ressemblaient plus à des boules d'eau glacée qui, comme chacun sait, volent plus vite et plus fort mais présentent l'inconvénient de tremper vos gants de laine, ce dont, et c'est la partie la plus amusante de tout, on ne s'en rend compte qu'une fois qu'on arrête de jouer.

Il enlève son gant, plonge la main au fond de la poche de son pantalon et en retire son porte-bonheur, le chewing-gum mâché qui fait comme une petite pierre rose. Il le fait rouler entre ses doigts mouillés et glacés et se souvient d'une conversation qu'il a eu avec la mère de Claudia, une histoire drôle où il était question d'une poule qui la poursuivait. Il se souvient aussi qu'elle lui a dit que si un jour Claudia se plaignait de sa laisse, elles en parleraient ensemble, et il se demande si Claudia s'est plainte avant ou si elle est passé directement à l'étape suivante.

Son chewing-gum porte-bonheur retourne au fond de sa poche. Les lumières l'aveuglent.

Il s'apprête à remettre son gant mais il est plus froid que l'air de la nuit. Alors il enlève l'autre et les range tous les deux dans les poches de son manteau et s'aperçoit qu'il n'a plus aucun endroit pour se réchauffer les mains. Il retire alors les gants de ses poches et reste là, debout, à contempler ses mains rougies par le gyrophare d'un camion garé plus loin. Il finit par poser ses gants l'un sur l'autre sur le perron de la maison la plus proche.

Il se met en marche quand une boule de neige le frappe en plein milieu du dos.

« Allez, Zinkoff ! Viens ! »

La bataille continue entre les autres gosses et prend des allures nouvelles et étranges sous les feux des lumières de police. Zinkoff reprend sa marche.

C'est comme si toute la ville était dans la rue ou aux fenêtres. Tout le monde a sa lampe torche et remplit la nuit d'yeux brillants et de lumières. Un petit garçon dans sa grenouillère demande à sa mère s'il peut regarder aussi, elle crie et l'on entend une porte claquer.

Il y a un peu moins d'agitation autour du bloc 800, mais tout autant de monde. Au niveau du 700, il n'y a plus que les fenêtres allumées. Ici Zinkoff peut chercher plus tranquillement : le nuage de sa respiration, les murmures, le grincement des bottes dans la neige. Il sent à nouveau les flocons de neige.

Après deux blocs, la neige sur les trottoirs est immaculée et Zinkoff est seul. Les mots jusque-là restés au fond de lui sortent enfin dans un souffle : « Je vais la retrouver. Je vais la retrouver. »

Et il continue à marcher.

25
« Claudia… »

Heureusement, il y a la lumière des lampadaires et celle des fenêtres des maisons. Comme si elles cherchaient avec lui. Les flocons qui passent tout d'un coup sur un rai de lumière lui font penser à des papillons de nuit. Mais dans le noir, Zinkoff ne les distingue plus, ne les entend plus non plus. Il tire alors la langue pour les attraper.

Dans le noir, il appelle dans un souffle: « Claudia… Claudia… »

Il ne sait pas pourquoi il murmure.

Peut-être pour ne pas déranger la nuit plus que nécessaire.

Ou peut-être pour que Claudia ne soit pas dérangée si jamais elle est en train de jouer.

« Claudia… »

Le tapis de neige s'épaissit et lui arrive jusqu'aux chevilles. Il s'y fraye lentement un passage comme entre les courants à la plage.

Il a du mal à distinguer quoi que ce soit entre deux sources de lumière. Il continue de murmurer dans les recoins sombres.

« Claudia… »

Les grandes façades noires des maisons se penchent sur lui dans le noir. La nuit dans la nuit.

« Claudia… »

Il parcourt la rue en zigzaguant, regarde des deux côtés pour ne rien rater, comme s'il recollait les deux trottoirs l'un à l'autre.

La neige recouvre tout de blanc et de bosses rondes et douces. Tout devient une devinette. Ça, c'était quoi ? Et ça ? Il se dit qu'elle est sous la neige, qu'elle s'est cachée et attend qu'on la trouve. Il l'entend déjà rigoler parce que tous les gens qui sont à sa recherche passent, sans le savoir, juste à côté d'elle. Ou alors elle s'est endormie comme une petite oursonne sous la neige. Il croit la voir à chaque monticule, donne des petits coups de botte, l'imagine surgissant de la neige en explosant de rire comme un oiseau fou. Mais il ne trouve qu'une luge, une vieille télé, un sac poubelle.

« Claudia... »

Non, se dit-il ensuite, elle n'est pas immobile, elle bouge, elle court et se roule dans la neige pour fêter sa liberté et les premiers flocons ! Rester sans bouger est bien la dernière chose qu'elle ferait.

De temps en temps, il se retourne et aperçoit au loin les gyrophares, comme les feux d'un vaisseau spatial perdu, et il se dit qu'il aime ces lumières, elles sont sa laisse à lui. Il espère que Claudia n'a pas voulu être trop libre.

Il aperçoit une autre lumière à l'angle de la rue. Et un grognement. C'est un chasse-neige qui fend la neige comme un doigt passé sur le glaçage d'un gâteau. Le chasse-neige se dirige vers lui avec ses phares tremblotants. Pour la première fois de sa vie, Zinkoff est à cours de boules de neige. Et soudain, l'horrible pensée surgit dans son esprit : et si elle était au milieu de cette rue ! Il crie : « Stop ! » mais le chasse-neige continue sa route.

Après deux autres blocs, il se retourne encore. Soudain, il n'a plus du tout cette certitude qu'il va la retrouver dans la seconde qui suit. La seule certitude, c'est le silence qui l'entoure. Le silence de la neige qui tombe lui paraît même incroyable. Il se dit que Claudia n'a pas pu marcher si loin. Il regarde une dernière fois les gyrophares au loin et tourne à l'angle. Il ne lui reste plus qu'à longer un bloc et à revenir vers la lumière.

À mi-chemin, il s'engage sur une allée et il comprend.

Allées !

Les deuxièmes rues de la ville, celles qui ne figurent sur aucune carte et ne portent aucun nom, celles qui sont interdites aux voitures.

Pourquoi Claudia serait-elle forcément sortie dans la rue au milieu des lumières ? Pourquoi n'aurait-elle pas déverrouillé la porte de derrière pour s'échapper et longer les allées ? Zinkoff repense aux journées entières qu'il a passées dans les allées de la ville. Il le sent, il le sait : elle est dans une des allées.

Il scrute l'obscurité. Pas de lumière dans cette direction. Il y fait aussi noir que dans la cave quand la porte de la cuisine est fermée. C'est la nuit de la cave. Zinkoff fait un pas. Puis un deuxième. Le dernier lampadaire l'éclaire un peu. Puis le perd.

26
La vie d'un enfant

« Claudia… »

Zinkoff répand ses murmures devant lui. Ils sont ses yeux et le bout de ses doigts.

« Claudia… »

Il lève la tête pour vérifier s'il neige encore ou non.

Le chasse-neige ne passe pas par ici.

Il trébuche sur quelque chose et se retrouve le nez dans la neige. Il se relève et s'essuie le visage. À l'intérieur de son col, il y a de la neige fondue dans son cou. Il sort les mains des poches de son manteau pour maintenir son équilibre. Mieux vaut ne pas tomber.

Et il retombe.

Il sort son porte-bonheur, le garde au creux de sa main. Ses mains sont gelées et trempées.

« Claudia… »

Une lumière brumeuse au devant : la rue suivante.

Il se remet à neiger. Zinkoff traverse la rue et rejoint l'obscurité de l'allée.

« Claudia... »

Il traverse une autre rue, puis une autre encore. Il entend le crachotement d'une radio. Il voit à sa droite de la lumière derrière une conduite d'évacuation et son rougeoiement qui dessine des silhouettes sur les toits. Des voix. Il est derrière la maison de Claudia. Il a envie de leur crier : « Vous cherchez au mauvais endroit ! » Mais il reprend son chemin en traînant des pieds, laisse les lumières et les voix derrière lui et replonge dans l'obscurité complète.

« Claudia... »

Il serre son chewing-gum caillou, met ses mains dans ses poches qui sont aussi glacées et trempées que ses mains. Comment est-ce arrivé ?

Les fenêtres des cuisines et des chambres à coucher se découpent mais jamais leur lumière n'atteint l'allée, comme si elles retenaient leur lumière, comme du papier peint sur un grand mur noir.

Zinkoff trébuche sur des pots de fleurs vides, se glisse entre les barrières ouvertes, les portillons à chaînes et tout ce qui reste caché par la nuit glacée.

Il traîne des pieds sans même plus essayer de les soulever.

« Claudia... »

Combien de temps peut-elle tenir ?

Pendant combien de temps une petite fille peut-elle garder suffisamment de chaleur pour survivre dans une tempête de neige en pleine nuit ?

Il va la retrouver.

Comment va-t-il la retrouver ?

Trébuchera-t-il sur son corps allongé et tremblant ?

Sera-t-il le premier à entendre sa voix de petite fille éclater de rire : « Je me suis enfuie ! Je me suis enfuie ! »

Que dira-t-il quand il la retrouvera. Il cherche. Il cherche encore. « Ah ! Ah ! » Voilà tout ce qu'il trouve à lui dire.

Aura-t-elle envie d'une petite bataille de neige avant de rentrer ? Lui dira-t-il que ce n'est pas très raisonnable ? Insistera-t-elle ?

Il pense à sa sœur Polly. Autrefois Polly a été aussi petite que Claudia. Polly s'échappait aussi. « Elle tient ça de Donald », disait toujours leur mère. Mais ce n'était pas vrai. Donald ne s'échappait jamais. Il quittait la maison. Ça fait une sacrée différence. Polly, elle, elle *s'échappait*.

Quand Polly fut en âge de comprendre, sa mère

lui disait : « Katie, ferme la porte ». Elle aurait peut-être dû dire : « Katie, va chercher la laisse. » Mais il n'y avait ni laisse ni harnais, et si la porte n'était pas fermée, Polly se retrouvait dans la rue.

Et la personne la plus proche devait aller la chercher, quelle qu'elle ce soit. Son père disait : « Un jour, je ferai semblant de l'appeler, je la laisserai marcher aussi loin qu'elle veut » et oncle Stanley répondait : « Je parie qu'elle irait bien jusqu'à Cleveland. »

Et un jour son père l'a fait, il l'a laissée partir. Lui et Donald sont restés derrière elle. En arrivant sur la route, elle ne s'est pas arrêtée, a continué à valser, pendant que son père, comme une maman canard, ouvrait pour elle les yeux et les oreilles, faisait attention aux voitures. Quand elle s'est aperçue qu'il était derrière, elle a poussé un petit cri et s'est enfuie en courant et en balançant comme une paire de pommes ses deux petites fesses.

Elle n'est pas allée jusqu'à Cleveland, mais tout de même jusqu'à l'avenue Ludlow qui, comme l'a répété son père pendant des années, était à plus d'un kilomètre. Le plus drôle, c'est qu'elle n'avait pas ralenti, elle s'était arrêtée net en plein milieu de la rue. Elle s'était arrêtée, s'était retournée vers Zinkoff et son père et avait planté ses fesses en plein milieu de la route, forçant une voiture à piler et l'autre à tourner au dernier moment pour l'éviter.

Elle était très contente d'elle et gazouillait : je me suis échappée ! et son sourire faisait de la concurrence au soleil. Et Zinkoff découvrit ce jour-là quelque chose qu'il n'arrivait pas à exprimer. Un enfant s'échappe pour être retrouvé, et court pour être rattrapé. Voilà ce que c'est, la vie d'un enfant : retrouvé et rattrapé. Elle avait alors fait quelque chose qu'il n'oublierait jamais : assise au beau milieu de la route, elle lui avait tendu les bras, à lui et pas à son père, il en avait été bouleversé et il l'avait relevée et ramenée à la maison sur ses épaules.

« Claudia... »

Elle ne court plus à présent, il le sait. Elle attend.

Il ne sent plus son chewing-gum porte-bonheur. L'aurait-il laissé tomber ? Zinkoff panique. Arrivé au lampadaire suivant, il regarde : le caillou est toujours là, dans sa main. Ses mains sont comme la pierre : froides, dures et insensibles. Il prend la pierre et caresse sa joue de sa surface douce et gelée. Il la promène sur ses lèvres et la glisse dans sa bouche, la seule partir encore tiède de son corps.

Retour au noir.

« Claudia... »

27
Lui-même

Il arrive au bout de l'allée. Il descend la rue, prend une autre allée, garde le chewing-gum au chaud dans sa bouche. Il souffle sur ses doigts.

Il regarde en l'air. Il ne sent plus les flocons sur son visage, seulement sur ses lèvres. Il aimerait bien voir des étoiles. Il pense toujours à elles comme si c'était les siennes. Il se souvient que quand il était petit il croyait que, chaque jour, un certain nombre d'étoiles tombaient sur terre pour que sa mère les ramasse et les épingle sur les chemises de ses enfants. Il aimerait bien y croire encore. Il s'arrête, la tête au ciel. Il ferme les yeux, sent les flocons de neige sur ses cils : les cendres froides des étoiles.

Il a envie d'arrêter. Il a envie d'aller se coucher. Il pense à son lit. Il s'imagine en pyjama. Non, d'abord il s'imagine dans la baignoire. Depuis qu'il est grand il prend des douches, mais là, pour une fois encore, il a envie d'un bain. Il laisse l'eau couler encore et encore et sa mère ne crie pas «Donald, ça suffit! Éteins-moi ça!», pas cette fois. Il laisse l'eau chaude monter jusqu'à son nombril puis il l'arrête, et s'abandonne à l'eau et à la vapeur qui l'entourent, seule sa tête émerge. Puis au lit, sous les couvertures, il se roule, frissonnant non pas de froid mais de bonheur, gigotant sous une montagne de couvertures chaudes…

Il trébuche sur quelque chose, tombe sur une barrière à chaînes qui se casse dans un fracas et fait tomber toute la neige accumulée dans un bruit sourd, comme un souffle.

Il crie, il hurle dans cette trouée de noir:

«Claudiaaaaaaaaaaaaaa!»

Silence.

Bizarrement le sommet de son crâne n'est pas froid. Il a les cheveux épais et la neige qui est dessus tombe régulièrement à terre. Mais ses oreilles, elles, sont gelées. Le bord est tellement froid que ça le brûle. Il les frotte mais ses mains sont aussi froides que ses oreilles. Il va vraiment se faire enguirlander quand il rentrera à la maison. Sa mère lui répète tout le temps de ne pas sortir comme ça en hiver sans son bonnet. Elle poussera au moins une cinquantaine de « Mon Dieu ! ».

Il pense à l'Homme Qui Attend. Il se demande si l'Homme Qui Attend a déjà songé à aller au Vietnam pour retrouver son frère. Puis il se dit qu'il l'a peut-être déjà fait. Il s'y est peut-être rendu dès qu'il a appris que son frère était porté disparu. Il s'est peut-être dit qu'il serait la personne toute désignée pour trouver son frère, et il a traversé la jungle dans tous les sens jusqu'à ce que ses chaussures rendent l'âme, et il en était peut-être à sa deuxième ou troisième paire de chaussures quand ils l'ont mis dehors en lui disant que c'était leur jungle et pas la sienne et c'est pour cette raison qu'il est revenu à sa fenêtre, il n'avait pas le choix.

Il voit la façade éclairée de chez Claudia, de l'autre côté de la rue de l'Homme Qui Attend et il voit la mère de Claudia, il entend des voix du futur : « Oui, c'est bien triste. La petite fille s'est enfuie une nuit, en pleine tempête de neige. Elle portait un harnais. Elle l'a enlevé. Toute la ville l'a cherchée, même le gamin des Zinkoff. Ils ont cherché et cherché encore. Ils ont mis la ville sens dessus dessous. Ils ne l'ont jamais retrouvée. Et regardez maintenant : sa mère s'assoit à sa fenêtre et attend que sa petite fille rentre à la maison. Ça va faire plus de trente ans qu'elle attend... »

Il donne un coup de dents dans son chewing-gum.

« Claudia... »

Il arrive au bout de la seconde allée, en trouve une troisième, la parcourt jusqu'au bout et en trouve encore une autre. Juste à un angle, il aperçoit au loin les gyrophares rouge et blanc. Il n'a plus envie de leur crier dessus parce qu'ils cherchent dans le mauvais coin. Il se sent mieux en voyant les lumières, il a l'impression de faire partie d'une équipe et reprend sa route sur la prochaine allée.

Zinkoff n'a rien remarqué, mais il y a longtemps que les fenêtres des cuisines et des chambres à coucher se sont éteintes. Cependant, il remarque que quelque chose a changé. Un bruit. La neige fait du bruit. Un bruit vague de brosse tout autour de lui comme si on passait un balai. Il lève la tête et sent des picotements sur sa peau. Ce n'est pas de la neige, mais ce n'est pas de la pluie non plus. Et en quelques minutes le bruit doux devient plus violent, comme si quelqu'un répandait du sel sur le monde. Chacun de ses pas craque. Il s'accroupit. La neige est recouverte d'une pellicule craquante et dure. Pas l'idéal pour faire des silhouettes d'ange dans la neige. Il aurait dû faire l'ange avant que la neige ne durcisse. Il se demande si Claudia est en train de faire des anges dans la neige. Il se demande si les anges sont invisibles dans la neige. Il se demande si les anges s'amusent à faire des silhouettes d'humain dans la neige. Il se demande si Claudia est un ange...

Les petits grains de glace se sont transformés en une pluie glacée qui crible son visage, glissent dans son cou, sur ses épaules et le réveillent, ce qui est une première surprise car il ne s'était pas rendu compte qu'il s'était endormi. Pourtant, il est bel et bien allongé dans la neige, pas debout. Il essaie de se lever, mais ses mains s'enfoncent sous la pellicule de glace et la neige se glisse dans sa manche jusqu'à son coude. Il se lève d'un bond. Il agite les bras pour secouer la neige. La neige tombe, mais essayez de retirer les glaçons d'une manche, vous verrez comme c'est difficile.

Il se traîne. Sa tête est trempée. Il prend une douche. « Hé, maman ! Je prends une douche ! » Est-ce qu'il vient de dire cette phrase ou l'a-t-il seulement pensée ? Il n'est plus très sûr. Il n'est plus très sûr d'un certain nombre de choses. Les choses se mélangent, les différences s'effacent. Il ne sait plus très bien où il s'arrête et où la neige commence. Il est la neige. Il est le froid. Il est la nuit.

Tout ce qu'il sait de lui, c'est le chewing-gum dans sa bouche, la dernière braise encore incandescente de Zinkoff. Il serre le caillou entre ses dents, le protège avec sa langue. Il frappe du pied le sol glacé, il se secoue pour ne pas tomber dans la nuit.

Il frappe encore une fois du pied et aboie dans la nuit :

« Claudia ! »

Elle l'a mis en colère. « Attends un peu que je t'attrape. »

Un rayon de lumière. Une voix au loin. Une drôle de sirène comme un hoquet. Il appelle : « Je regarde par ici ! Allez voir de l'autre côté ! On va la retrouver ! »

Ou est-ce qu'il pense qu'il appelle ?

Il se souvient de lui, de lui.

La mère de Claudia.

L'Homme Qui Attend.

Un qui attend, ça suffit. Il n'y aura pas de deuxième personne à attendre au bloc 900 de la rue du Saule. « Pause ! » crie-t-il à haute voix.

Et il s'endort. Il marche toujours, mais il dort aussi profondément que tous ces gens derrière les fenêtres éteintes des façades. Et pourquoi pas? Tout est si simple quand vous êtes la nuit et que la nuit c'est vous, que vous tenez le dernier caillou dans votre bouche, qu'il n'y a plus rien voir – tout est noir! – alors quelle est la différence entre un œil ouvert et un œil fermé?

Jusqu'à ce que vous arriviez à la porte d'un garage.

Zinkoff rebondit contre la porte et s'effondre sur le dos dans la neige. Il est debout et se remet en marche, tout est confus et il retourne là d'où il vient.

« Claudia… »

Marcher… marcher…

Spounch spounch, crac crac.

« Salut Facteur! »

Il lève les yeux. Elle sourit. Elle lui propose d'entrer et il entre. Et il découvre une merveilleuse surprise: c'est l'heure du chocolat chaud! Il voit son vieux mug de Winnie l'ourson de quand il était petit. Elle verse le chocolat chaud, mousseux et fumant, juste avant le mieux du mieux: la Crème Parfaite! Elle en verse mais pas assez, jamais assez, parce qu'à présent c'est sa mère et elle joue avec lui, elle attend qu'il crie « Encore! », et c'est ce qu'il fait et elle en verse encore si bien qu'avant d'atteindre le chocolat chaud il est obligé de plonger dans la Crème Parfaite, au bout il voit le paradis, puis une voiture…

Il a somnambulé dans la rue jusqu'à un parking.

Il poursuit sa route. Il croit être dans une allée alors qu'il est au milieu de la rue. il entend un couinement. La sirène qui a le hoquet. Il voit des flashes, des rouges, des bleus. Il se réjouit qu'ils soient tous encore à sa recherche. Il se dit qu'ils vont la trouver avant lui.

La pluie redouble de force à présent, il l'entend, le son est plus lourd. Il louche en essayant de distinguer la pluie sous les lampadaires mais il ne parvient pas à se concentrer. Il tend la main devant lui et tente de la fixer mais sa main n'arrête pas de bouger. Il lève la tête. Il ne sent rien sur son visage. La pluie s'est arrêtée. La neige s'est arrêtée. Si ce n'est pas la pluie, alors d'où vient ce bruit?

C'est lui. C'est le bruit de ses dents qui s'entrechoquent, qui claquent pire que Vieille Casserole IX, comme ses mains, comme tout son corps, comme le caillou porte-bonheur dans sa bouche.

Zinkoff a froid.

Il fait semblant d'avoir chaud.

Il fait comme s'il était son père. À chaque pas, il se dit : « Les doigts dans le nez… Les doigts dans le nez… » Il rebondit sur une autre voiture. Il se donne des coups de poing pour rester éveillé. Il se cogne. Il ne sent plus ses orteils. Qui lui a pris ses orteils ? Il chante : « On m'a pris mes orteils… », il chante : « Claudiaaaaa… oh Claudiaaa… » Il doit rester éveillé, éveillé, la trouver, plus personne à attendre. Il épelle son mot préféré, il le crie dans la nuit pleine de ses bavardages : « T-I-N-T-I-N-N-A-B-U-L-E-R ». Il le chante : « T-I-N-T-I-N-N-A-B-U-L-E-R ». Il entend Claudia qui l'appelle. Elle est à Halftank Hill, elle est sur sa luge, sur son dos, ils dévalent la pente et elle crie, elle crie, c'est Polly, assise sur les épaules de son père et qui crie « Allez, Donald ! Allez, Donald ! ». Et c'est ce qu'il fait, il y va, il fonce comme le vent dans les allées, il fait la course avec les voitures, et à la fin il gagne. « Les Z seront premiers ! », dit monsieur Yalowitz. « Les Z seront derniers ! », dit madame Biswell, l'Homme Qui Attend lui fait un clin d'œil derrière sa fenêtre : « Passe-moi un Glapiblab'. » Bouton jaune, bouton jaune, que dis-tu ? « Dégage de mon équipe ! », répond le bouton jaune. Un millier de hourras. Je prends un T ! Je prends un I ! Je prends un N… et ça fait quoi ? Une bougie ! Voilà tes bougies ! De véritables bougies en cérumen, à deux mille cent hourras pièce ! Deux mille cent soixante... deux mille cent... Tout le monde à bord ! Tout le monde à bord ! Prochain arrêt : Trifouillis Trifouillis Trifouillis bonjour jeunes citoyens le ciel nous aide le ciel nous aide le ciel...

Les lumières l'aveuglent. Les lumières grognent. Il sait qu'il doit faire demi-tour, retourner dans l'allée et trouver Claudia, mais il ne parvient pas à s'éloigner de la lumière, il ne peut plus bouger, le hurlement d'un sifflet, et une voix qui dit : « Bouge pas, mon p'tit, j'te tiens... »

28
CONSIGNÉ

Des voix.

Et comme un bruit de ciseaux. Clic clic.

Il a chaud. Il n'a pas envie d'ouvrir les yeux. Derrière ses yeux clos, il fait chaud et doux.

« ... jamais vu ça. Heureusement que j'ai fait attention. » Une voix d'homme qu'il a l'impression d'avoir déjà entendue. Il l'a entendue de loin, mais elle est très distincte à présent.

« Il n'a pas dit pourquoi. » La voix de son père.

« Il a rien dit. P'têt' qui pouvait pas parler, vu comment il tremblait. C'est marrant, quand je me suis arrêté et que je suis sorti, j'aurais juré qu'il chantait. »

« Et vous saviez qui il était ? » Sa mère.

« Ben, j'ai deviné. J'veux dire, qui ça aurait pu être ? Il correspondait à la description. La taille en tout cas. Parce que sinon, il ressemblait plutôt à un rat mouillé. »

«Et vous étiez à l'affût». Sa mère. «Vous aviez entendu la description, vous alliez plus lentement et vous ouvriez l'œil.»

«Ben, pas plus que n'importe qui d'aut'.»

«Chaque bonne nouvelle en son temps.» Son père.

«Si j'étais vous, j'lui demanderais tout de suite pourquoi.»

«Il a toujours fait ça.» Oncle Stanley. «Il s'échappait de la maison. Pas moyen de le tenir. Toujours en vadrouille. Il croyait qu'il ne dormait jamais. Il filait hors de la maison pour arriver en avance à l'école. En avance!»

«Pas moi.»

Des rires.

«Moi non plus. Mais lui, il est comme ça. Sa sœur aussi. Quand elle était petite, un jour elle a marché jusqu'à mi-chemin pour Cleveland.»

«Jusqu'à l'avenue Ludlow.»

«C'est déjà pas mal loin.»

Des rires.

Et Zinkoff pense: «Claudia!»

Il a les yeux grands ouverts. Il est dans le lit de ses parents. Polly est agenouillée à côté de lui avec une paire de ciseaux. Elle reste bouche bée devant lui. Elle s'arrache du lit et crie en descendant les escaliers. « Maman, maman, il s'est réveillé ! »

Il entend des au revoir et la porte d'entrée qui s'ouvre, se referme, et des bruits de pas qui s'approchent.

Tout le monde est dans la chambre : ses parents, Polly, oncle Stanley. Sa mère s'assoit sur le lit. Elle caresse son front. « Je n'arrive pas à croire que tu n'aies pas de fièvre. »

Il commence à parler mais sa mère couvre ses paroles :

– Donald, que *faisais*-tu dehors ?

La question lui paraît trop idiote pour y répondre, mais il répond quand même.

– Je cherchais Claudia.

Et ajoute pour leur montrer leur bêtise :

– Comme tout le monde.

Ils le regardent tous d'un drôle d'air. Oh oh, se dit-il, ils ne l'ont *toujours pas* retrouvée.

Ils se regardent à présent les uns les autres.

– Claudia ? demande sa mère.

– La petite fille perdue, explique oncle Stanley. C'est son prénom.

Le regard de sa mère le terrifie. Ses yeux brillent au-dessus des siens. Sa voix est aussi basse qu'un murmure.

– Tu cherchais la petite fille ?

Il hoche la tête, il a peur de parler, peur que quelque chose ne se brise.

– À une heure du matin ? Tout ce temps ?

Il hoche à nouveau la tête. L'expression de sa mère lui fait maintenant vraiment très peur. Celle de son père aussi.

– Il ne sait pas, dit oncle Stanley en détournant les yeux.

Elle est morte.

– Donald, dit sa mère en tenant son visage entre ses mains, son souffle si près de lui. On a retrouvé la petite fille très vite.

– Elle était dans le garage d'un voisin, enchaîne son père d'une voix enrouée. Les portes grandes ouvertes, elle faisait semblant de conduire.

– Elle était de retour chez elle à, quoi, sept heures et demi, huit heures grand maximum ? ajoute oncle Stanley en s'éclaircissant la voix.

– Ouais, approuve son père.

Le visage de sa mère est curieux : comme si elle était triste et heureuse à la fois :

– Mais toi, tu ignorais tout ça, c'est ça ? Et tu continuais de chercher encore et encore.

Zinkoff acquiesce.

Et les images lui reviennent, mais plus il se souvient, plus tout s'embrouille.

– Mais j'ai vu des lumières. Et j'ai entendu des sirènes.

Sa mère le regarde en pleurant en souriant. Mais alors, si on a retrouvé Claudia à sept heures et demie, huit heures maximum…

Il lève la tête vers sa mère et lui sourit joyeusement.

– Mais qui cherchaient-ils alors ? demande Donald.

Il lit la réponse sur le visage de sa mère mais il attend qu'elle lui dise :

– Toi, Donald. Ils te cherchaient *toi*.

Pendant un long moment, tout le monde dans la pièce a les yeux tournés vers lui. Sa mère, son père, sa sœur, oncle Stanley – tous le fixent du regard, comme s'il allait disparaître s'ils arrêtaient. Il est comme dans un berceau entouré d'yeux.

Polly lui donne un coup de coude. « Ben oui, idiot, c'était *toi*. »

Ils sautent tous sur le lit qui tangue et chavire. Ils

le serrent dans leurs bras et lui shampouinent la tête, et Polly s'écrie : « Tu es assis dessus ! » Elle tire quelque chose de sous son père, c'est ce qu'elle vient de découper avec les ciseaux, une grande feuille de papier dentelée. Elle la déplie et la tend devant Zinkoff fièrement.

– Exactement ce qu'il lui fallait, dit oncle Stanley en rigolant. Un autre flocon de neige.

Pour la première fois depuis qu'il a ouvert les yeux, il remarque la lumière qui ruisselle par la fenêtre de la chambre. Et il se souvient :

– C'est jour de neige ?

– Depuis l'annonce de la radio, dit son père, à six heures et demie ce matin.

Zinkoff pousse un faible « Hourra », puis se tourne à nouveau vers la fenêtre et demande l'heure qu'il est.

– Presque trois heures de l'après-midi, répond sa mère. Tu as dormi treize heures.

Oh non ! Plus que deux heures ! Halftank Hill !

Il essaie de se lever du lit mais se retrouve attrapé par des tas de paires de bras.

– Pas aujourd'hui, mon pote, dit son père. Tu es consigné.

– Ouais, mon pote, dit Polly en agitant son doigt devant lui d'un air sévère.

– Jusqu'à ce soir.

– Ouais.

– Et tu resteras *consigné* si je suis obligé de m'assoir sur toi.

– Ouais !

Polly applaudit. Et un sourire diabolique se dessine sur son visage, elle cherche quelque chose au fond de sa poche, le sort…

– Mon chewing-gum caillou porte-bonheur ! Il essaie de l'attraper, elle recule et tire la langue ?

– Maman ! pleurniche Donald.

– Donne, ordonne sa mère en tendant la main. Et Polly lui donne.

– Maman, lâche-le ! crie-t-il si fort qu'elle le lâche et le fait tomber sur le lit. Tu ne peux pas le toucher.

Et il le récupère.

– Mais je suis ta mère, dit-elle d'un air blessé.

Elle ne comprend pas qu'un caillou porte-bonheur perd ses pouvoirs si quelqu'un d'autre le touche.

– À part moi, personne ne peut le toucher.

Et il le fourre sous l'oreiller.

– Cette chose est-elle ce que je pense ? demande sa mère.

– Un chewing-gum.

– C'est bien ce que je pensais.

– Tu vois, réplique Polly en le regardant de haut, c'est même pas un caillou. Et il porte même pas bonheur. Et il était dans ta bouche ! *Beeeeeeeeuuuuurk !*

– Tu veux nous dire ce qu'il faisait dans ta bouche ? demande sa mère.

Il réfléchit un instant.

– Non, je ne crois pas.

– Très bien, répond sa mère en souriant.

– Dis-lui de le dire, maman ! gémit Polly.

– Toi, tu t'en vas de ce lit, dit sa mère en la faisant descendre. Laisse ton frère tranquille. Tu as été très gentille avec lui pendant qu'il dormait, mais maintenant, du balai !

Polly quitte la chambre en battant des pieds.

Le téléphone sonne. C'est tante Sybille. Elle vient aux nouvelles du patient.

Puis c'est tante Janet qui appelle. Ensuite cousin Marty, cousin Will et tante Melissa. Quand on sonne à la porte – la première à venir est madame Lopresti, la voisine – il a le droit de descendre et on l'allonge sur le canapé. Les voisins et la famille continuent de défiler tout le reste de la journée. On parle, on rigole et on mange partout dans la maison.

Tout le monde brûle de la même question: « Pourquoi ? » Que faisait-il dehors ? Les gens veulent savoir. Et quand ses parents leur racontent le pourquoi du comment, ils se tournent alors vers lui d'un air étrange, puis ils s'approchent, certains s'assoient sur l'accoudoir du canapé, d'autres se contentent de se pencher vers lui, mais tous portent aux lèvres ce sourire à moitié triste et à moitié amusé qui était celui de sa mère en haut tout à l'heure, et tous veulent se rapprocher ou le toucher. Jamais on ne l'avait autant touché.

Mais, soudain, parmi les coups de sonnette de la porte d'entrée et les rires, il lève les yeux et voit Claudia et sa mère juste devant lui. Claudia se jette sur lui et le couvre de baisers sonores une bonne douzaine de fois. Puis elle lui dit quelque chose. Il ne comprend pas les mots qu'elle emploie, mais il n'en a pas besoin, il les ressent. Quant à la mère de Claudia, elle ne demande pas: « Pourquoi ? », comme tous les autres. Elle ne dit rien. Elle s'assoit simplement sur le canapé, l'attire à elle et ne le lâche plus.

Et avec tout ça, il se passe tellement de choses, qu'il en oublie même qu'il a dormi pendant un jour de neige.

29
Toujours là

Il est presque dix heures quand les derniers visiteurs quittent la maison et que la fête prend fin. Ses parents viennent s'asseoir sur le tapis près du canapé et lui racontent ce qui lui est arrivé la nuit dernière.

– Tu n'es pas rentré à la maison à l'heure habituelle, dit sa mère.

– Comme d'habitude, ajoute son père.

– Mais au début, on ne s'est pas inquiétés. On s'est dit que tu t'amusais dehors dans la neige. Mais tu n'étais toujours pas rentré à huit heures et demie, ni à neuf heures.

– C'est à ce moment là que nous nous sommes officiellement inquiétés.

Sa mère avait appelé dans toutes les maisons des enfants chez qui il pouvait être en train de jouer, pendant que son père inspectait les rues en l'appelant. Ils n'avaient pas du tout envie de prévenir la police. Il venait déjà d'y avoir toute cette agitation autour de la petite fille perdue de la rue du Saule, alors qu'allaient-ils dire? «Devinez quoi: un autre enfant perdu dans le quartier!»

Mais quand la nuit tombe, que les rues sont désertes et que tous les enfants de la ville sont en sécurité et au chaud chez eux, sauf le vôtre, vous ne vous souciez plus de ce que pensera la police et vous appelez.

Ils ont débarqué, telle une armée illuminée de flashes, les mêmes voitures de police, les mêmes ambulances et les mêmes véhicules de sauvetage que pour la petite fille auparavant. Mais à présent, c'était leur rue qui était illuminée comme pour une fête de quartier.

– Sauf que ça ne s'est pas passé comme pour la petite fille, précise son père. On ne t'a pas trouvé si vite. Et les flocons continuaient de tomber, puis à se changer en neige fondue, puis en pluie.

– Et toi aussi, tu cherchais dehors, hein Papa? demande Zinkoff.

– Oh oui, j'étais dehors, répond son père en le regardant.

– Les doigts dans le nez pour toi, non?

Il voit son père distribuer le courrier par tous les temps. Il se souvient qu'à l'école il s'asseyait et pensait à son père comme un attaquant tentant une percée dans le blizzard.

Son père lui fait un sourire-grimace et lui pince le genou :

– Ouais, les doigts dans le nez.

Ils lui disent à quel point les heures ont passé lentement et à quel point Polly voulait absolument rester debout mais a fini par capituler. Ils lui disent certaines choses, mais pas tout. Et ils arrivent à la fin, au conducteur du chasse-neige qui le trouve si loin de la maison et le ramène, à l'équipe de secours qui le sèche, le réchauffe, vérifie qu'il va bien et qu'il est juste aussi raplapla qu'un zombie, à leur bonheur de le retrouver, sa mère pleurant comme un bébé, et à la toute fin de son histoire, à la façon dont ils l'ont monté à l'étage et l'ont mis dans leur lit entre eux : à ce moment là, Zinkoff sent un sourire envahir son visage et il ressent quelque chose qu'il n'avait pas ressenti depuis des années, comme s'il redevenait petit, comme si on venait de lui raconter une histoire avant de s'endormir.

– Alors, demande son père, où étais-tu ? Dans quel coin cherchais-tu ?

– Surtout dans les allées, répond-il en haussant les épaules.

Pas besoin d'en dire plus.

Ils restent debout jusqu'à minuit.

– Je sais que tu n'es pas fatigué, lui dit sa mère, mais pourquoi ne pas essayer de dormir un peu? Tu verras bien ce qui se passe.

Il demande s'il peut rester sur le canapé pour dormir. Il s'y est habitué.

Ils n'y voient aucun inconvénient s'il promet de ne pas mettre le nez dehors dès qu'ils auront le dos tourné.

Ils l'embrassent, lui passent la main dans les cheveux une dernière fois, et ils montent se coucher.

La maison est noire et calme. Tout est noir et calme. Sauf l'intérieur de sa tête. À l'intérieur, c'est encore la fête: le téléphone sonne, la pizza dégouline. À l'intérieur il pleut et il neige encore, et il cherche encore Claudia dans les allées. Mais maintenant c'est presque drôle puisque tout son corps est bien au chaud sur le canapé et que Claudia a été retrouvée à huit heures maximum.

Il ferme les yeux et essaie de dormir. Il ne se passe pas grand-chose mais il persiste. Il se fredonne une berceuse. Dans le noir, certains de ses muscles continuent de bouger tout seuls : ils ne veulent pas dormir, ils veulent retourner dans les allées et chercher.

Alors il comprend ce qu'il doit faire. Il se lève. Il s'entoure de la couverture comme d'une toge. Il se dirige dans le noir vers la porte d'entrée. Il cherche le verrou et le tourne aussi lentement que possible en retenant sa respiration. Il tourne la poignée, en silence, tout doucement. Il ouvre la porte. Il se penche dehors en prenant garde de laisser ses pieds sur le tapis. Le froid de la nuit lui mord le cou. Il se penche le plus possible dehors et lève la tête. Il sourit. Le ciel est dégagé. Elles sont toujours là. Les étoiles.

Il rentre, referme la porte, retourne sur le canapé et, pour la deuxième fois, remonte les couvertures confortablement et s'endort en quelques minutes.

30
« ZINKOFF »

Après le jour de neige vient le week-end et le lundi la plupart de la neige a disparu. Il en reste seulement un peu à l'ombre, dans les recoins, sur les surfaces de la ville exposées au nord, et au bord des parkings, là où les chasse-neige l'ont amassée en petits monticules gris. La température est remontée à dix degrés, ce qui est plutôt doux pour décembre, et l'eau coule dans les gouttières et les caniveaux de toute la ville pour se jeter dans les égouts et les canalisations.

Et le mieux dans tout ça, c'est que le lundi, c'est journée pédagogique au lycée Monroe. Ça fait toujours un truc un peu spécial de jouer juste devant l'école pendant que les profs sont obligés de rester enfermés à l'intérieur. Les enfants se massent par groupes : du hockey sur le parking, du football sur les stades, ou se contentent de déambuler et de profiter du temps si doux pour glander.

Sous le préau arrondi du terrain de foot, deux gamins, Tuttle et Bonce, discutent ensemble :

– Tu le vois ? Le gars là-bas ? demande-t-il en pointant son doigt.

– Ouais

– Regarde ça.

Tuttle se fait apporter un ballon. Il le fait tourner sur son doigt et vérifie ses lacets. « Regarde bien ».

– Hé toi, oh hé oh, toi ! crie-t-il pour appeler le gars.

Et il envoie son tir en spirale et celui-ci tend les mains comme pour rattraper un bébé des bras de quelqu'un. Le ballon lui passe très clairement entre les mains pour atterrir en plein dans sa poitrine. Sa casquette s'envole. Il recule pour reprendre son équilibre et manque de tomber. Il va chercher le ballon et sa casquette.

Tuttle et Bonce savourent en riant la supériorité de l'athlète sur le plus faible.

– Quel naze, dit Bonce. Regarde-le, il tire comme une fille.

– Il tire comme une *fillette* tu veux dire.

– C'est qui ? demande Bonce.

– J'en sais rien, répond Tuttle.

Ils regardent le garçon qui appelle, qui fait tout pour qu'on lui passe une autre balle. Ce qui finit par arriver. Cette fois, le ballon rebondit sur son crâne. Et sa casquette voltige à nouveau.

Tuttle et Bonce explosent de rire et sifflent.

– Hé, Hobin ! Viens voir, appelle Tuttle.

Et Hobin vient les rejoindre.

– Regarde, dit Tuttle.

Il se fait apporter un autre ballon et recommence ce qu'il vient de faire, il balance un tir d'enfer au garçon à la casquette jaune. Une fois de plus, le garçon tend les bras, laisse passer la balle entre ses mains et la reçoit en pleine poitrine.

Ça n'a pas l'air d'amuser Hobin qui se moque :

– Ça, j'aurais pu te le dire avant.

Ils regardent tous les trois le garçon qui essaie maintenant de leur renvoyer la balle. Au premier essai, son pied rate tout simplement le ballon. Au deuxième, la balle fait un bond d'au moins trois mètres en l'air.

– C'est qui alors ? demande Bonce.

– Il s'appelle Zinkoff, répond Hobin, il était avec moi au primaire. C'est personne.

– Ouais mais vous n'avez pas entendu ce qu'on raconte ?

C'est Janski qui vient de se mêler au groupe.

– De quoi ? demande Bonce.

– Vous savez, la petite fille qui s'est perdue l'autre nuit ?

– Ouais, eh ben ?

– Ce gars et parti à sa recherche, c'est ça ? Ils l'ont retrouvée peu de temps après sa disparition ?

Les autres hochent la tête.

– Donc on a retrouvé la petite fille et tout le monde rentre chez soi et on arrête les recherches, okay ? Mais lui, dit-il en désignant d'un coup de menton le garçon à la casquette jaune.

– Zinkoff, précise Bonce.

– Ouais. Eh ben, il le sait pas. Les recherches sont arrêtés mais lui il le sait pas.

Ils se tournent tous vers le garçon.

– La petite fille est tranquille en sécurité chez elle et lui il la *cherche* encore ? questionne Bonce.

Janski sourit à Bonce et articule très lentement :

– Pendant... sept... heures.

– Sept *heures* ? s'écrie Tuttle.

– Sept... heures, répète Janski. C'est un chasse-neige qui l'a trouvé à deux heures du matin. Il a failli l'écraser. Il était à trois kilomètres de chez lui.

Bonce fixe le gamin à la casquette jaune qui essaie toujours de shooter dans le ballon :

– Il devait être à moitié mort.

– Il devait être surtout à moitié débile, dit Tuttle. Faut vraiment être débile pour chercher jusqu'à deux heures du matin quelqu'un qu'on a déjà retrouvé.

Hobin se moque à nouveau :

– J'aurais pu vous le dire aussi.

– Il était gelé ? demande Bonce.

Janski hausse les épaules.

– Quel naze, dit Tuttle.

– Si vous l'aviez vu à la Fête du Printemps en CM1, ajoute Hobin.

– Un désastre, j'imagine, dit Tuttle.

Hobin ne répond pas. Ils fixent tous celui qui est à présent en train de courir dans tous les sens pour essayer de convaincre un des joueurs de lui passer la balle. Ils s'imaginent le désastre de la Fête du Printemps.

– Et il *adore* l'école. Il arrive toujours en avance.

Tous se retournent vers Hobin qui vient de prononcer ces mots. Ils le fixent des yeux et attendent le moment où il va leur dire que c'est une blague. Mais Hobin n'ajoute rien de plus, et ils se retournent vers le garçon à la casquette jaune qui, lui, ne s'aperçoit même pas qu'on l'observe.

– Bon, allez, on va jouer, finit par dire Hobin.

Les autres sortent de leur transe en criant « Ouais ! »

Tuttle sonne le rassemblement : « Le match ! Le match ! »

Tous ceux qui veulent jouer courent vers lui.

On constitue les équipes. Tuttle et Bonce en sont les capitaines. Ils déterminent qui commence en jouant à « pierre, ciseaux, feuille », et c'est Tuttle qui gagne.

Il appelle Hobin.

Bonce appelle Janski.

Ils continuent, Bonce d'un côté, Tuttle de l'autre, jusqu'à ce qu'il ne reste plus que le garçon à la casquette jaune. Mais les deux équipes sont à égalité. Bonce et Tuttle ont pris chacun sept joueurs. Le garçon à la casquette est un indésirable.

Mais il ne se comporte pas comme tel. Un indésirable normal comprendrait qu'il est de trop, que tout le monde a été choisi sauf lui, qu'il n'y a plus aucun espoir et que le mieux qui lui reste à faire est d'aller jouer à un jeu où il est vraiment bon, comme le Monopoly.

Mais ce garçon-là reste planté. Il n'a pas l'air de vouloir faire demi-tour ou de disparaître. Et il ne se contente pas de rester planté là, il regarde Tuttle et Bonce *dans les yeux*.

– On est au complet, dit Tuttle.

Alors le garçon ne regarde plus que Bonce. Celui-ci a envie de dire lui aussi qu'ils sont au complet, mais il n'y arrive pas. Il voudrait que ce garçon s'en aille de lui-même. Il ne comprend donc pas qu'il est indésirable ?

– L'attaque, crie Hobin à l'autre bout.

D'habitude ils ne jouent pas en offensif, le terrain est couvert de neige fondue et ils n'ont pas de protections ni de casque, mais personne ne veut avoir l'air d'avoir peur.

– Les équipes sont formées. On n'a besoin de personne, répète Janski.

Mais le garçon ne relève pas.

C'est du jamais vu : un indésirable qui ne décampe pas. Mais tout repose sur Bonce, il lui suffit d'ouvrir la bouche. S'il te plaît, va-t-en, pense-t-il. Et le garçon le regarde toujours au fond des yeux. Ce garçon est *vraiment* idiot. Il ne sait donc pas que même s'il finit par être pris, tout le monde va l'ignorer ? Qu'il sera mal à l'aise ? Qu'on lui fera peut-être mal ? Il ne sait pas qu'il est un naze ? Qu'il est à part ? Il ignore donc qu'un indésirable ne doit pas regarder un capitaine dans les yeux ? Qu'il est censé regarder le bout de ses chaussures ou le ciel en priant pour disparaître d'un coup ? C'est pourtant ce qu'il est, un indésirable, le dernier à être choisi.

Mais celui-ci ne partira pas et son regard cogne Bonce comme un ballon tiré en pleine tête. Dans ses yeux, Bonce perçoit quelque chose qu'il ne comprend pas, mais aussi quelque chose qu'il reconnaît obscurément. Il a envie de lui demander comment se sont passées ces sept heures. Il se dit qu'il pourrait en lire la trace dans les yeux du garçon, mais il n'y arrive pas. Il a envie de lui demander ce que ça fait d'avoir si froid.

C'est débile, se dit-il. Il pense à des centaines de choses qu'il a envie de dire, des centaines de façons de mettre fin à ce moment, mais il sait au fond de lui qu'un seul mot peut tout changer, un mot de lui et qui sait ce qui peut se passer ?

Il tend le doigt et le dit :

– Zinkoff.

Et le match commence.